壊れたニッポンを治す為の処方箋2

松本繁治
MATSUMOTO SHIGEHARU

幻冬舎 MC

壊れたニッポンを治す為の処方箋2

はじめに

長年のコンサルティング活動において、企業が抱える沢山の課題を見てきた。課題には、表面的な課題と根本原因があるのだが、根本原因を導き出さないと、真の解決策には辿り着かない。そして導き出された根本原因を整理し、解決策を検討する仕事を長年してきた。そしてこの時、課題が表出されている業務や仕組みが「何故」や「何のために」を考え、そして「あるべき姿」を考える事を心掛けてきた。

例えばITシステムであれば、特定の機能や仕組みが「何故、そして何のために必要なのか」を考え、「あるべき姿」を考えてきた。そうする事で、時には顧客からの不必要な機能や仕組みの要望を抑制する事も行ってきた。そしてITシステムとしての「あるべき姿」をデザインし、顧客に提案し、提供してきた。

業務の改善・改革のコンサルティング活動の場合も同様に、業務課題や経営課題を理解し、現状が「何故」そして「何のため」に行っているのかを考えてきた。そして非効率であったり不必要な業務を指摘し、解決策や「あるべき姿」を提示し、時には「あるべき姿」に進むための施策を考え、顧客と一緒に実行してきた。

問題の根本原因を探り出す思考回路は、多少なりとも訓練が必要である。そのため、日頃から社会の問題に関しても、その表出された問題点から根本原因を考え、解決策を考える事を行ってきた。そして解決策を考えるためには、様々な情報の収集も必要である。

この様な活動を行ってきて気が付く事として、実は顧客（ユーザ）は課題を分かっていて、解決方法もある程度想定できている人が、必ずいるという事である。課題を分かっていて、その根本原因も分かっている。そしてその解決方法も分かっていながら、行動しない人が少なからずいるのである。

また、コンサルティングサービスを提供する側の問題も気になる様になってきた。日本のコンサル会社には若い人間が多いため、力量が不足しており、報酬に見合った仕事を行えていない現状がある。しかしそれにも関わらず、コンサル会社は売上を重視するあまり、未熟なコンサルタントを躊躇なく顧客に送り込み、無価値で無意味な仕事を与えて、売上を水増ししている現状を沢山見てきた。

これについては発注する側にも問題があり、世間的には一流（？）のコンサルティング会社へ仕事を依頼すれば、一種の社内的なガス抜きや言い訳ができ、中身の薄い提案であっても、受け入れている企業側の問題もある。

この様な現状を見るにつけて、何故この様な状態になるのかを色々考えた結果、理念や哲学の無さに気が付く様になってきた。

この頃、実家の家業（製造業）を一時期手伝った事もあった。家業を引き継いでいた兄も、丁度理念や哲学の重要性に気が付き始めていて、それを整理し始めていた時期であった。経営者からみて、社員は中々自分が望んだ様には動いてくれない。社員は自身の立場が一番大事であり、それ程一生懸命に働かなくても、会社は給料をくれるので、ホドホドで良いんだと考えている様でもある。そのため、問題点を分かっていても、社内の雰囲気が柔ければ、社員は問題を解決するための努力はしない。この様な状況に安住して何も対応しない社員をどうやって変える事ができるのか、試行錯誤していた。但し、この場合はその様な柔い雰囲気を野放しにしていた経営者が悪いのだが…。

それで辿り着いた結論は、日本人には理念や哲学が不足している事と、自立している人が少ないという事である。課題を解決するための方策を考えるためには、確固たる理念や哲学が必要である。そして自立していなければ、解決に向けた行動は取れないし、そして現状を変えたいと考える事もないだろう。

この様な考え、思考回路を持った人は、企業内のみならず、至る所に居る。政治を支援する役所の中だけでなく、政治家にも沢山居る。そして企業の経営者の中、特に雇われ経営者に多い。〝出る杭は打たれる〟、そして〝事なかれ主義〟の文化を持つ日本なので、仕方がない面もあるが、これでは社会は良い方向に向かわない。

丁度、この前書きを執筆中に、次の二つの話しを聞いた。

「先の戦争中、アメリカ軍が日本人の捕虜に対して尋問をしても何も話そうとしなかったが、その日本人の捕虜にシャワーを浴びさせ、飯を食べさせてやったら、ベラベラと喋りだした」

「明治維新時代の日本の初代文部大臣が、〝日本の教育の根幹に据えるべきは、日本人のズルさを治す事だ。なぜなら、日本人は、そっちが良いと思えばそっちを向く。そしてこっちが良いと思えはこっちを向くズルさを持っているからだ〟」

この二つの話しは、理念や哲学の無さ、そして自立していない事の典型的な例であり、日本人が持つ根深い問題であろう。

これらの事から見えてくる事は、この様な問題点の根本的な原因は、自立していない事であり、理念や哲学の欠如が起因している。そしてこれらの欠如から出てくる毅然とした態度のなさが、ありとあらゆる所に見られ、それらを今回のまとめてみた。物価が上がらない事象を例に、自立できていない事や理念や哲学の無さ、そして毅然とした態度の欠如に依る弊害を記載した。それから、これらの欠如によって招いている現在の社会的問題として、少子化とSDGsの問題を整理してみた。

初代の文部大臣も治せなかった問題を、本書で治す事などほぼ不可能であろう。しかし、一人でも多くの人に届く事を願って、本書を書いた次第である。それで、しばらくこの愚作にお付き合い頂ければ幸いである。

目次

第2章 理念・哲学の欠如

第3章 毅然とした態度の欠如 88

第4章　少子化問題　111

第5章 見直しが必要なSDGs 139

第1章

給料(収入)と物価が上がらない理由・原因は〝自立〟できていない事にある

1　物価が上がらない表面的な理由

最近になって漸く、日本の賃金が30年程変わっていない事が語られる様になってきた。そしてウクライナでの戦争と円安などが重なって、巷では物価が高くなってきたと騒がれている。2022年の6、7月になり、多くの商品の価格が上がった様にも感じられるが、経済学者の分析ではまだ物価の高騰は限定的で、エネルギーなどの一部の価格の上昇による値上げであって、物価高とは云えないとの事である。2022年末になり、経済学者も漸く物価が高くなってきたと言い始めたが、欧米のそれと比較するとかなり抑えられたレベルである。何故だろうか。

日本には、物価が上がらない根が深い原因があり、それを紐解いて深掘りしないと、根本の問題解決にはならない。消費者に取って物価は安い程良いが、生産者に取っては決して良い事ではない。物価が上がらないために、自ずと収入も増えていないのであり、結局日本人は自分の首を自分で絞めている状態である。そして物価が上がらないから、GDPも上がらないと言っても過言ではないだろう。

物価が上がらない（または収入が上がらない）理由は幾つかあるが、先ずは次の4つの表面的な事象を考え、その後にその根本的な原因を深掘りしていきたい。

Ⓐ供給過多（日本の市場における需給ギャップ）
Ⓑ日本人の値下げ要望の強さ
Ⓒ消費者に対する思いやりの強さ
Ⓓモノ作りでのコスト削減に対する熱量の強さ

上記以外にも〝安い賃金で製造できる能力を持つ近隣諸国の存在〟や、政治の無策など、他にも沢山の原因・理由があるが、それらの原因・理由は他力的、または外部要因である。一方この4点については、その原因・理由が我々自分自身の問題であり、自分自身で解決する必要がある問題である。それでこれらについて考え、深掘りしていきたい。

Ⓐ供給過多（日本の市場における需給ギャップ）

バブル崩壊以降、日本の経済はほぼ常に需要より供給が多い状態が続いている。供給が需要より恒常的に多ければ価格が上がる事はあり得ず、供給の抑制または需要の喚起を起こさない限り価格が上昇する事は起こり難い。当然の結果である。この需要と供給の差を表現する指標として、〝需給ギャップ〟という言葉を使って表現している。

需給ギャップとは、日本国内の経済における需要と供給量の差であるが、ここ30〜40年はほぼ慢性的な供給過多の状況が続いている。因みに2021年の日本のGDPが537兆円だったのだが、2022年時点での需給ギャップはGDPのマイナス3〜4・5％辺りの15〜25兆円とも云われており、決して少ない金額ではない。供給が需要を上回ると、当然価格競争になってしまう。それで経済学者は需給ギャップを埋めるための需要刺激策を取る必要があると繰り返し言っているのである。

余談だが内閣府の推計によると、2020年の4〜6月期は、この需給ギャップがマイナス10・2％であった。そしてバブル崩壊の1993年以降、需給ギャップがプラスだったのは、リーマンショック前や安倍政権後半などの合計8年程の期間のみである。そのアベノミクス効果でプラスに転じていたが、消費税を10％に上げた途端にマイナスに転じ、そしてその後のコロナの影響でマイナスが続いている。

Ⓑ日本人の値下げ要望の強さ

巷では、食料品を買いに行く際にチラシやネット広告を見て、1円でも安い店に行って買い物をする人が沢山いる。新聞を購読している家庭では、毎朝新聞に折り込んでいるチラシを吟味するのが日課になっている人も多い。また若い人の中ではスマホでネット上の広告を見る人も少なからずいるだろう。そして2、3軒の店を回ってその日の買い物を済ます人も多くいる。

食べ物屋やレストランでは、500円（ワンコイン）でランチを提供し、300円の弁当もある。個人的な感覚では、昼食費用は高卒時代では400円、大学は500円、社会人1年目で600円、そして今は1000円前後が本来の相場であり、この価格はアルバイトの1時間分とほぼ同じである。しかし1000円だとしても他の先進国と比べて低い値段になっており、他国では1500～2000円の相場だったのが、さらに高騰している様である。であるのに500円のランチが存在するという事は、少なくとも40年前の物価と同じという事になる。そしてこの状況が、2023年になってもあまり変わっていないのである。安い事は消費者に取っては大変有難い事ではあるが、誰かがそのシワ寄せを受けている。

そして一番驚いたのが、2022年の年末に発表された〝サクマ式ドロップス〟を製造する佐久間製菓株式会社の廃業である。表向きの理由は「新型コロナウイルス感染症の影響による販売の落ち込みに、原材料費の高騰が重なり経営が悪化していた」との事で、事業の転換ができなかった事が主原因と思われるが、値段を上げると売上が落ちるとの思いから、値上げをしなかった、またはできなかった事が原因の一つであろう。きっと、バイヤーや食品商社の担当者に値上げを強く拒否されているのだろう。

一般企業が購入する生産財などの物品は中国を中心とする製品との価格競争に晒され、国内の企業からは同等の価格での納品を強要され続けている。もし中国などの企業が自らの努力で品質を向上し、安価な製品を作ってきたのであればまだ納得できるが、日本人が技術を供与し、または現地で製造する事で競争力を付け、結果的に日本の製造業を壊している。これは何か間違っていないだろうか。

Ⓒ消費者に対する思いやりの強さ

消費者側からの値下げ要望の強さだけでなく、生産者側またはサービスを提供する側も、消費者のためにと値上げをしないで頑張っている人が大変多い。生産者側の生活も決して裕福でなく、厳しい事を理解している所為か、昨今の物価上昇の流れにも関わらず、値段の据え置きを続ける店舗なども少なくない。自分の身を削ってまで、安いモノを提供する事は、一見美徳にも見える。しかし、何事においても〝過ぎたるは猶及ばざるが如し〟であり、度が過ぎている。

Ⓓモノ作りでのコスト削減に対する熱量の強さ

余談だが、お弁当の製造を見た事があるだろうか。昔は手工業的な作り方でお弁当を作っていたが、コンビニ弁当やサンドイッチは工場の製造ラインで作る事でコストを削減している。例えばサンドイッチを作る場合、食パンをラインに並べる人、レタスをパンに載せる人、ハムを載せる人、等々が別々の作業者が隣り合わせで作業をしている。一旦製造ラインが動き始めると、一瞬たりともよそ見もできない位にハードな作業で、往年の喜劇俳優であったチャップリンの映画『モダン・タイムス』の様なライン製造である。今の自動車などの製造ラインは昔と違って人が機械の様に働く事は少なくなってはいるが、コンビニのお弁当の製造工場は『モダン・タイムス』を彷彿させる様な作り方を現代でもしている。この様な作り方をすれば、安く作れるのは当然であろう。

このお弁当やサンドイッチの製造の様に、製造を効率化してコストを削減する事について、日本人は世界の中で抜きん出ている。それは誇るべき事であろうが、コスト削減のために賃金も抑制している事に大きな問題がある。今の製造業では製品の設計や製造方法を工夫してコストを削減するのではなく、人件費を抑えてのコスト削減にここ20～30年程は邁進している。そのため、お弁当の製造工場ではほぼ１００％が非正規労働者であり、そして一般的な工業製品の製造現場でも非正規労働者が増えている。そしてこれに引きずられる様に、正社員の賃金も殆ど上がらない状況がバブル崩壊以降続いているのである。この考え方を改めない限り、日本の給料が継続的に上昇する事は起こり得ないだろう。

では一体何故、日本ではこの様な状況になっているのだろうか？　この後その原因を深掘りしていくが、先ずは表面的な原因を先に考えてから、その後に本質的な原因を探っていきたい。

2　供給過多の原因

日本では、慢性的に供給過多の傾向がある。その理由は、ニッチな領域でビジネスを始めるのではなく、既に供給過多になっている業界に、絶え間なく新規での参入者が続くからである。最近では鳥の唐揚げが流行り出し、一気に唐揚げ店が増えた。ちょっと前だとタピオカがそうであろう。何故だろうか？　これについて、ちょっと深掘りしていきたい。

〝供給過多〟になる原因は沢山あるが、次の日本人の特性が大きく影響しているのではないだろうか。それは、

㋐日本固有の〝学ぶより真似ろ〟と、〝暖簾分け〟の文化

④チャレンジ精神の不足

である。

㋐日本固有の〝学ぶより真似ろ〟と、〝暖簾分け〟の文化

知っての通り、〝学ぶより真似ろ〟や〝暖簾分け〟の文化は日本に深く根付いていて、特に〝真似る〟文化は日本以外の東アジアに広く根付いている。この〝学ぶより真似ろ〟や〝暖簾分け〟の文化は決して悪い事ではないが、今の日本の社会ではあまりにも多くの人や企業が同じ業界でビジネスを行っているため、供給過多になっている。

〝暖簾分け〟の文化と云っているが、現代の社会において実際に暖簾分けが行われている訳ではない。云いたい事は、ほぼ飽和状態の既存のビジネスに、さらなる新規参入が行われ続けているという事である。新規参入によって新陳代謝がなされるため一見良い事でもあるが、新規参入者は価格を抑えてビジネスを始める必要があるため、価格競争に拍車を掛ける事になっている。

それでは供給過多の例を幾つか考えて見たい。具体的な例として、馴染みの深い、暖簾分け的な飽和状態のビジネスを幾つか挙げてみよう。

・コンビニ：5・6万店弱（日本フランチャイズチェーン協会のサイトから）
・ドラッグストア：2万店以上（日本チェーンドラッグストア協会のサイトから）
・美容院：25万店以上（美容業界ニュースメディアのサイトから）
・ラーメン店：2・5万店（都道府県別統計データサイトから）

これらは2022年の情報だが、ラーメン店のみ2020年の情報で、情報ソースによっては3・5万店ともいわれている。また価格競争とはあまり関係ないが、参考までに次の3業界も多すぎるのではないだろうか。因みにこれらは、2022年（不動産業、私立大学）と2021年（歯科病院）の情報である。

・不動産業：12万業者以上（不動産適正取引推進機構のサイトから）
・歯科病院：6・7万店（厚労省のサイトから）
・私立大学：915校（短大含む。文科省のサイトから）

また業界の垣根を越えての供給過多を行っているケースもある。コンビニ店ではドーナッツやコーヒーを販売し始め、ドーナッツやコーヒー専門店に取って脅威となっている。また最近は薬も置き始め、ドラッグストアに殴り込みを掛けている。一方ドラッグストアはちょっとした食品を置いている店舗もあり、こちらはコンビニやスーパーに殴り込みを掛けている。また最近のコンビニのスイーツ系の商品の進化が著しく、スイーツ業界にも殴り込みを掛けている。

これらの異業種商品の販売を行う事で、品質だけでなく価格競争も行われ、切磋琢磨されるので消費者に取っては大変有難い事ではあるが、作る側に取っては大変である。悪く言えば、単なる消耗戦を行っているだけである。

コンビニが中心になって殴り込みを掛けている事で、日本のGDPの向上や、収入の向上にどの程度貢献しているのだろうか？　答えは全くないと言っても過言ではないだろう。新たな消費を生んでいると言う人もいるが、単に他業界の商売を奪っているだけであって、市場を大きくしたり、新たな市場を作っている訳ではない。要するにココに問題があり、消費者に取っては天国であるが、製造現場（またはサービスを提供する側）で働いている人に取っては地獄であろう。

美容院の業界はどうだろう。美容学校の入学者数は一時期よりは減っているが、美容院の店舗は未だに増え続けており、令和1年度には25万店舗を超えたとの事である。具体的にはここ30年で、美容院が約7万店舗増加した一方、理髪店は約2万店程減少しているが、美容院と理髪店の合計では大幅な増加となっている。約6万店弱のコンビニでも多いと感じるが、美容院の店舗数はその4倍以上であり、人口が減っているにも関わらず、美容院の店舗が増えているのは明らかに供給過剰であろう。それにも関わらず店舗数が増えているのは、日本人の〝真似る〟と〝暖簾分け〟の文化の賜物であろう。

また美容院というビジネスは大変身近である事から、若者が憧れる職業になっている事も考えられ、また自己表現をし易い職業だと捉えているのだろうか？　この〝身近〟な職業である事から、そこに目指す事へのハードルが低いと感じているのではないだろうか（実際は違うと思うが…）。そして身近であるから、未知の世界へチャレンジする必要もないと思われている。だから、供給過多であるにも関わらず、減少傾向であるとはいえ、まだまだ沢山の若者が美容学校に入学し、そして毎年新しい美容院が開業している。ラーメン店も同様に新しい店舗が毎年出てきている。この様に供給過多が続く限り、価格競争は免れない。新しい事にチャレンジしないのである。

余談だが、私立の大学での問題は、供給過多による定員割れと赤字の学校が多い事である。


残念ながら日本人は新しい事をしようとする意識や、チャレンジしようとする気持ちが他民族と比べて少ない様である。人とは違う考えを持つユニークな人はそれなりにいるが、〝新しい〟ビジネスとなると、少ない感がある。仮に新しい事を始めようとしても、周りの我々日本人がそれを共感やサポートをせず、折角の良いアイデアが潰される事も多々ある。これまでの話とは若干内容は違うが、自分が若い頃に新しい提案をしたら、「どの位売れるのか」とか、「事例は？」などといった反応が最初にあり、その製品によるメリットや可能性をあまり考えないという経験があった。

昭和後半の高度成長期までは、ソニーやホンダの様な一部の企業は新しい事にチャレンジしていたので、世界でも尊敬の念を得ていた。ホンダはＣＩＶＩＣのＣＶＣＣエンジンによってアメリカで高評価を受け、ソニーはウォークマンの発売で生活様式を変えてとも云われ、そしてｉＰｈｏｎｅはソニーが開発すべき製品だとも云われていた。しかし今の日本でその様な企業はほぼ皆無に近く、殆どの人は事なかれ主義でチャレンジをしなくなってきている。特にサラリーマン経営者がそうで、自分自身の任期期間はチャレンジせずに〝事なかれ主義〟で過ごす様になってきた。

チャレンジしないから、新しい製品やビジネスが生まれ難く、同じビジネスで競争を繰り返しているから、収入も増えない。但し、その業界内では価格が下がり、品質が向上しているので、消費者に取っては大変有難い事ではある。しかし、生産者側、または社会全体に取っては決して良い事ではない。その理由は価格を抑えるために、低賃金の労働者を増やしているからである。

㋑チャレンジ精神の不足

我々日本人の特性としての、〝チャレンジ精神〟が不足している原因をもう少し深掘りしてみたい。日本人がチャレンジしない大きな要因として以下の３点を挙げたい。

・変化を好まず、安全を求め、失敗を嫌う
・自分で考えて判断せず、他人の評価を頼りにする
・自分で道を切り開けない

日本人がチャレンジしない特性の原因の一つとして、〝変化を好まず、安全を求める〟傾向にあり、さらに〝失敗を嫌う〟傾向である事であろう。要するに、同じ事を繰り返す事で安心し、変わる事に不安を感じるのである。また変える事で批判を受ける事を避けようとする。今の岸田政権の評価がまさにこれで、何もしない事で批判を受けず、評価されている。またお役所仕事がこれの典型であろう。前の政権下では、色々な取り組みをした事で評価を受けていた半面、批判も多かった。そして現政権の前半は何もしなかったにも関わらず評価は悪くなかった。しかし2022年末辺りから色々な発言をし始めた途端に批判が殺到し始めた。

また、〝自分で考えて判断せず、他人の評価を頼りにする〟傾向も強い。その典型的な例が〝学歴〟であろう。国立大学や有名私立大学を卒業した人間や医学部や法学部出身者＝優秀だと感じ、そこに属さない人は相手に劣等感を感じている様に見える。そして大企業や有名企業に就職しているだけで、優秀だと思われる傾向もある。この様な考え方は、最近は多少薄まってはいるが、まだまだ大企業に属する事によるステータスは高い。本来

であれば、社会で何をしているのかが重要なのだが、日本の社会では特定の組織に属する／属さないが、結構重要な要素である。

これらが意味する事は、自分の目で見て判断・評価する事をせず、その人が属する組織や学歴で判断する人が多いという事である。有名大学出身者でも、仕事ができない人や理解力のない人や論理的思考ができない人は沢山いる。また俗にいう〝偏差値バカ〟といった社会で役に立たない人も少なくない。一方で偏差値の低い大学や高卒でも優秀な人は沢山いる。それらを自分の目で判断・評価する事ができる人が、今の日本には非常に少ない。

それから〝自分で道を切り開けない〟傾向にもある。もし自分が低い給料に甘んじているのであれば、さっさと職を変えるか、または必要であれば学位を取得するなどを行えば良いのだが、その努力をしない人が多い。ユーキャンなどの通信講座や一般的な専門学校で得られる知識や職能で得られる収入の増加は微々たるモノで、より良い収入を得るための工夫が足りていない。そしてそもそも大学、特に学部を選ぶ時点で将来の収入を考えないで大学や学部を選んではいないだろうか。実際、アメリカの大学では卒業する学部によって初任給が全然違う。

日本の社会で〝大学レベル〟の再教育を受ける環境があまり整っていない事などの問題があるにせよ、より良い仕事、そしてより良い収入を得るための新しい知識や技術を身に付ける努力に対して、日本人はあまり時間とお金を掛けていない。

3　日本人の値下げ要望の強さ

供給過多のために値下げをせざるを得ない状況になっているが、供給過多でなくても調達側からの値下げ要望は大変根強い。製造業では常にコストダウンを迫られているのだが、そのしわ寄せが仕入先に向かっている。

食料品や一般消費財を取り扱っているスーパーなどの販売店では、常に仕入先からの調達品を買い叩いている。そして大手のスーパーなどではプライベートブランドを立上げ、より安価な価格での製造＆納入を求めている。また、〝特売〟の名目で、定期的に値下げを強要している。その結果、製造元（納入元）では殆ど利益を得られず、沢山の時給1000円程度のパートの従業員によって辛うじて支えられている状態である。プライベートブランドや特売をする事でお互いに儲かっているのであればまだ良いが、決して儲かっていない。そして販売する側のスーパーなどは、時給1000円のパートで支えられているだけである。

生産財の調達でも同じで、値下げ要求が大変強い。時には品質は悪い（悪かった）が価格は安い海外製品との比較を行い、値下げに応じなければ海外企業などに調達先を変える可能性をちらつかせ、値下げを半ば強要してくる。その様な調達担当者は物の価値を理解しておらず、短期的な自社の利益のみを考えている。一方、売る側の担当営業も営業努力をしないので、この値下げ要求を簡単に受けてしまう。供給過多である事も大きな原因ではあるが、この様な値下げ要求が強い事も大きな原因である。

別の例として、安く売る事を美徳として考えている人も少なからずいる。最近、ＴＶのゴールデンタイムで放送している番組で、『ヒューマングルメンタリー　オモウマい店』（日本テレビ）という番組がある。これは格安価格で大盛りのご飯を食べさせてくれるお店の紹介番組なのだが、この様な店の店主の多くは、安く売る事で幸せを感じているのだろう。安くできる理由の一つに、店舗（または自宅兼店舗）の減価償却が終わっていて、その分を原価に含める必要がないから安く提供できると言う人もいる。一部には売れば売る程赤字だと言う人もいるのだが、何故かこれらの人達はみんな幸せそうである。他人から良く思われたい人が、他人に優しくしている自分に酔っている状況に見えるが、考えすぎだろうか？

しかし、この様な商売を行ってはいけない事をこの人達は知るべきである。その店の周りでは、お店の賃料またはローンを抱え、そして扶養家族を養う必要がある人も沢山いる。その様な人達は、必要十分な利益を確保する必要があり、必死に仕事をしている。この様な人達に取っては、この〝オモウマい店〟は営業妨害をしている事と同じではないだろうか。周囲の人達や社会に対する配慮・貢献は、安売りする事ではなく、生活の糧として働いている人達の収入を邪魔しない事ではないだろうか。単純な自己満足による安売りは、慎むべきである。

また100円ショップの存在も問題で、我々日本人は100円ショップの恩恵を受けすぎている。〝恩恵〟と言うよりは、毒されてしまったと言うべきであろう。100円ショップは安くてそこそこの品質の物を大量に売っていて、子供の小遣いでも買える値段である。そのため、壊れても気にせず、物の有難さを忘れ去ってしまっている。そして多くの商品が100円（一部は200〜500円程度）で購入できるため、本来あるべき物の価値が完全に崩れてしまい、〝安くしないと売れない〟社会が定着してしまった原因を作っている。そのため、日本では物価が先進国一安く、給料（収入）も先進国で最低レベルに定着してしまっている。安くしないと売れないので、安くするために給料を安くする。正に、自分の首を自分で絞めている状態である。それなのに安い給料で働いている人達は文句も言わず働き、出費を抑えるために、日々安い物を探している。何故だろうか……。

4 〝自立〟できていない事が根本原因

ここまで様々な表面的な問題点を指摘し、それを多少深掘りしてきた。経済的状況としての供給過多である事や、値下げ要求の原因は日本人の文化や特性にある事を説明した。そしてその文化や特性とは、〝真似る〟文化であったり、〝チャレンジ精神〟が不足している事であったりする事である。そしてその底には、〝変化を好まず、安全を求め、失敗を嫌う〟事であり、〝自分で考えて判断せず、他人の評価を頼りにする事〟や、〝自分で道を切り開けない〟などがある。

これらの特性の一番奥深くにある事は、我々日本人は他力本願であり、〝自立〟できていない事にあるのではないだろうか。〝自立〟できていない事は戦後間もなくＧＨＱに言われた事ではあるが、未だに変わっていないし、きっと昔からそうなのであろう。そして〝自立〟ができていないと言われても、何が他国と違うのかピンと来ないだろうし、〝自立〟できていない事によってどんな問題があるのかを把握している人も大変少ないだろう。だから〝自立〟できていない事が問題であるとは殆どの人は感じていないし、感じていないから変わろうとする事もない。

また、〝自立〟していなくても、それなりの生活は送れている。そのため、究極的な論点として〝自立〟する事は必ずしも必須ではないとも言えてしまうのだが、どうなのだろうか？　因みに、この〝自立〟の定義は「他の援助を受けずに自分の力で身を立てる事」とある。

それで、他人に依存し、自立していない人の行動を想像してみたい。

例えば職場が居心地の悪い環境や給料が悪い仕事であっても、転職を考える人は海外と比べて少ないと云われている。欧米人は、より良い収入を得られる職に付ける様に努力し、自分自身の能力を高める事に努力を惜しまない人が多い。そしてアメリカでは社会人を経験した後に大学に入り直す人や、仕事をしながら夜間に大学で学ぶ人も多くいる。一方我々日本人はより良い環境を求めて転職する考えを持つ人が少ないから、自分自身を向上させる努力もあまりしない。個人的な意見ではあるが、通信教育程度で得られる技術や知識でのステップアップは微々たるモノであろう。また若い人が仕事を探す際に、自分を向上できそうな仕事を探す人が少なからずいるが、それは企業が教育に力を入れているかどうかであって教えてもらう事が前提となっており、自ら学ぶといった姿勢の若者は少ない様に感じる。

仕事のやり方については、日本人は上司から言われた事のみを愚直に粛々と遂行する人が多いのが現状である。非効率であったり仕事のやり方に不満を持ったりしても、小言は言っても仕事のやり方を変える程までは進言しない。上司も又、非効率な業務を変えるための努力はしたくはないと考えている。悪い言い方をすれば、傷の舐め合いを行っている状況である。今いる環境に甘んじ、その職場に依存している訳で、その結果、日本の多くの企業から活力がなくなってきている。話が少し飛躍するが、社会に問題が起こった場合は、時代劇の〝水戸黄門〟が登場しないと解決しないのである。

この〝居心地の悪い職場〟に居続けるという事は、自立できていない事の産物であろう。その社会に依存し、自立できていないから職場と深い関わりを持とうとし、または相手にそれを求めてくる。また職場を通じて社会との接点を得られていると感じている人が多く、居心地が多少悪くても、そして給料が悪くても、その組織に居続けたいと考える人も多い。

欧米では同僚との関係に過度の期待や依存はしないが、そのお陰で却って良好な人間関係を築けている。そのため、人間関係の問題よりは、収入の良し悪しが重要視されているのではないだろうか。また仕事を単に収入を得る場所であって、より良い収入を得られる場所があれば、さっさと転職する。そのため、人間関係や居心地の善し悪しは二の次であろう。

余談だが、日本人は美容院やラーメン店の様に、一国一城の主になりたい人が多い様だ。昔聞いた話なのだが、ベトナム人の工務店経営者が、従業員であるカンボジア人を〝何時まで経っても出稼ぎで大工程度の仕事しかできない人種〟と云ってバカにしているという。しかし中国人はそのベトナム人をバカにしている。その理由は、中国人が工務店に商談を持ってきており、その商談を持ってくる中国人の方が稼いでいるからである。今の日本人はこの工務店の店主の状態であって、残念ながらビジネスを動かしている中国人ではない。

5 〝自立〟できていない事による弊害

自立できていない事による弊害は他にも沢山ある。その中で、企業における人材の採用についても〝自立〟していない例の一つであろう。人事担当者が応募者の能力を見極める能力が不足しているため、応募者の学歴や前職で働いていた企業の世間的価値を考慮する傾向にある。本来であれば、人事担当者は応募者の経験や能力などを経歴書や本人との会話から見極める事が仕事であるが、〝自立〟した考えや評価軸を持っていないために、偏差値や学歴、そして前職での企業の世間的な評価に頼っている。そして当たり障りのない人材を求め、尖った人材を求めない傾向にある。

東京大学、または早稲田大学や慶應義塾大学などの一流大学を卒業していても、使い物にならない人は沢山いる。それを見抜く能力を付ける事が、自立する事である。また働いている人自身も、偏差値に頼らずに己の道を切り開く努力を行う必要がある。実際、霞が関の国家公務員の多くが偏差値のみを頼りにしている自立ができていない社会人なので、天下りできる転職先を作る事に精を出している。本当に能力のある人、または自立できている人は自らの力で役人を退職後の人生を切り開いているであろう。

そして偏差値に依存するため、多くの都会の子供達は中学受験をする。親がより良い偏差値の大学に子供達を入学させたいからの行動であるが、気の早い親は幼稚園や小学校から〝お受験〟をさせる。これも子供に〝自立〟させる教育をできていない親が行う行動であろう。

全く別の視点で、日本人が自立できていない身近な事を何点か挙げてみよう。例えば、家の修繕を自前で行う日本人は大変少ない。最近ＤＩＹが流行ってきており、昔に比べれば沢山の人がＤＩＹに取り組んでいるが、それらの多くは内装をちょっと変えたりする程度であろう。アメリカでは昔から、家のペンキ塗りやフェンスの作成・修理、その他様々な修理を自前で行っている家庭が多い。それから車の修理程度であれば自分で行っている。アメ車が元々壊れ易い所為もあるが、壊れた場合の修理だけでなく、定期的なメンテナンス作業を行う人も沢山いる。オイル交換から始まり、タイヤ交換、エアフィルタ、プラグ交換程度は当たり前に行い、エンジン回りを分解する強者もいる。そのため、殆どの家庭のガレージには様々な工具が揃っているし、そのためのガレージである。

またアメリカ人は狩りが好きである。大物では鹿を狙い、小動物ではリスやウサギを取るのだが、当然取った獲物は自分で解体する（さばく）。また多くの人が釣りを楽しんでいる。そしてサバイバルを楽しむ人も少なくない。正に〝自立〟する事、そして他人に頼らずに生きる事の大切さ、経済面以外での生活力も大事である事を良く分かっているのがアメリカ人ではないだろうか。

別の〝自立〟できていない事による弊害の例として、〝オレオレ詐欺〟がある。オレオレ詐欺は至って単純な詐欺で、ちょっと考えれば変だという事は簡単に分かる。しかし、この単純な手口に引っかかる人が日本にはあまりにも多い。ちゃんと自立できていればこれに引っかかる事はほぼないであろう。また最近話題になっている〝霊感商法〟も同じである。これもちょっと考えれば変である事は簡単に見抜ける。

コロナ禍での反応でも日本の考え方が海外のそれとは大きく違う。日本的な尺度では、海外はとっくに5類になっているのだが、2023年になっても未だに2類相当に据え置き、自由な活動を妨げている。そして漸く2023年のGW後に5類に変更する。それから最も〝自立していない〟事の典型として、2023年春に始まるマスクについての国民の反応である。政府は密集する場所でのマスク着用は個人の判断に委ねると云っているのだが、「〝自由〟と云われると却って困る」といった反応が結構多いのである。自分で判断できないのであろう。

この様に、嫌な仕事にしがみつく事以外に、〝自立〟できていない事による弊害は少なくない。但し、〝自立〟できていない事によって、普段の生活の不都合を感じる事ができない事も理解しておく必要があり、そして他国との違いも知る事も重要である。そして一番大事な事として、〝自立〟できていない事によって、長らく経済が停滞している事を知る必要がある。

しかし残念ながら、この日本人の特性を変える事は簡単にはできない。何せ、何千年もの年月を経て出来上がった特性なので、変えたくてもすぐには変わらない。そして悪い面もあるが、日本には誇るべき良い面も沢山ある。それでできれば、社会のリーダーが望ましい姿について議論し、そして目指したい方向を提示・共有し、変えられる事から順次変えていく事が重要である。〝変化〟を拒む特性の日本人なので、多くの反感やクレームが来るであろう。しかし、今変わらないと、日本は確実に潰れる。もうギリギリの所まで来ているのである。

6　処方箋1：自立するために個人や中小企業ができる事

〝自立〟には、「精神的自立」、「身体的自立」、「社会的自立」、そして「経済的自立」の4

つの自立があると云われている。しかしここではこれらを頭に入れながら、ちょっと違う切り口で話しを進めたい。

自立するためにできる事は沢山ある。個人レベルで行える事や、企業レベルで取り組むべき事、そして社会が考える事など様々あるが、ここでは以下の処方箋について考えてみたい。

①神社では誓いを立てる
②自分でできる事を増やす
③自分で考えて仕事をする
④自分の評価軸を持つ
⑤中小企業はニッチ市場を開拓し、海外に販路を求める
⑥勉強しないと卒業できない大学にする

処方箋① 神社では誓いを立てる

他力本願は〝自立〟できていない事の典型例と云えるのだが、この他力本願の一番典型的な例は、神社でのお願いだろう。特に初詣では「神様に何をお願いしましたか?」といっ

た会話が巷でされている。

多くの日本人の認識は、神様はお願いする対象として認識されている。しかし、本来は神社ではお願いをするのではなく、神様に誓いをお伝えする場であり、神様と約束をする場である。そしてその誓った事を見守ってもらい、支援してもらう事をお願いする所である。「有言実行」という言葉があるが、正に神様に自分のやりたい事や目標を伝え、それを見守ってもらう事をお願いする事が、他力本願から卒業する第一歩ではないだろうか。

処方箋②　自分でできる事を増やす

〝自立〟するという事は、自分でできる事を増やす事である。自分でするには時間が掛かるかもしれないし、または余計なお金が掛かるかもしれないが、自分でできる事が増えれば、自ずと自立するのではないだろうか。忙しかったり、自分ですると余計なお金が掛かるために他人にお願いしたり購入する場合は問題ないが、面倒くさいとか、ただ単にやりたくないから他人にお願いしたり購入する場合は、自立していないのと同じである。

先に述べた様に、日曜大工（ＤＩＹ）や自動車のオイル交換などのメンテナンスや修理など、〝自分でできる事〟の候補は沢山ある。そして自分でできる事が多ければ多い程、自分に自信が付くのではないだろうか。そして自分に自信が付けば付く程、それだけ自立する事に近づいてくる。

そしてこれは仕事についても全く同じである。仕事において、自分ができる事が多い程、または経験した事が多い程、自分に自信が付く。そうなると、社内でも優位な立場になれる可能性が高くなり、転職する際にも優位な条件を勝ち取れる可能性が高くなる。また自分で事業を始める事もし易くなるであろう。

但し、自分でできる事が少なくても、誰よりも巧く、または上手にできる事を持っていれば、自信につながり、〝自立〟できるであろう。これは、何でも良いから一番になる経験を持つ事の効用である。

処方箋③ 自分で考えて仕事をする

「石の上にも三年」という諺がある。3年我慢して続ける事で、道が開けてくる、または明かりが見えてくる、といった様な意味合いであるが、現代の仕事でも同じであろう。社会人になってから3年程経つと、仕事の中身が分かってきて、自分で考えて仕事ができる様になってくる。そして自分で考えて仕事をする事で、仕事の幅も増えて楽しくなってくる。勿論、言われた事を従順に実行する事を望む人もいるだろうが、自分で考えて仕事をする方が楽しいと感じる人も多いはずだ。そうすればヤル気が増し、能力も向上できる。そしてその結果、より良い給料を得る機会が増える事に結びつく。会社に給料の値上げ交渉もできるし、または転職する事で良い条件で働く機会も増えるであろう。

2023年の1月に、Number Webの記事がネットに載っていたので見たのだが、その記事のタイトルは、『ダルビッシュ輩出の名門が激変していた…服装・練習を〝高校球児が考えて〟センバツ出場の東北「それで技術は向上する？」に新監督の〝驚きの答え〟』であった。この記事の内容は、この春の選抜に出場する東北高校の話で、昨年の夏に就任した元巨人軍の監督の方針が画期的で、「練習メニューを球児に考えさせ、試合も殆どがノーサイン」との事である。そして見事に結果を残し、選抜に出場する事になった。それで監督曰く、「とにかく、選手が楽しんでいるか、それだけですよ。試合でも、勝ったか、負けたか、エラーをしたか、ヒットを打ったか……とかを見るのではなく、選手達が前向きに取り組めているか。それを確認しています」との事である。やらされる練習よりは自分で考える練習の方が良いという事の典型であろう。是非この教育方針を見習う学校が増える事を祈りたい。

処方箋④ 自分の評価軸を持つ

自立する上で次に大事な事として、他人の意見や評価に左右されない事がある。他人の評価を気にしてエゴサーチする人は自立していない証拠であろう。そして日本という社会全体が自立していない証拠として、何かと他国の評価を気にしている。様々な評価や統計データに一喜一憂し、外国人タレントが来日する度に日本の印象を聞き、サッカーなどの国際大会でも対戦相手の日本人（チーム）の印象を聞いて回っている。自分に自信がない証拠であろう。

ブランド品を買い漁る人の多くも、〝ブランド〟という他人が評価した価値にお金を払っているのであって、そのブランド品の品質やデザインの価値を見極めた上でお金を出している訳ではない。勿論、一部にはその品質やデザインの良さを見極められる人はいるが、コピー品を本物と思って買ってくる人も少なくない。その様な人達は自分自身に評価軸を持っていない人の典型である。

企業においても他人の評価に頼ってはいけない。経営者や管理者、そして人事の責任者は従業員や応募者の評価軸をしっかり持っていないと、企業は良い方向に進化しない。人事における学歴重視の問題点は既に指摘したが、経営者や組織の管理者も社員の日頃の働き方を常に観察する事で、日頃から適切な評価をしておく事が大事である。

処方箋⑤ 中小企業はニッチ市場を開拓し、海外に販路を求める

殆どの中小の製造業は大企業に製品を納めている。自社製品を持っている場合もあるが、多くは大企業の下請けとして成り立っている。その際、大企業である得意先から厳しい値下げ要求を受け、ジリ貧の企業経営を負わされている。そのため、借金まみれの状態で経

営を続けている中小企業は少なくない。小泉政権下でとある大臣が「経営できない中小企業は退場させるべき」とか、「中小企業に対する手厚い補助金が、利益の出ない中小企業を延命させている」などと言った事で多くの批判を受けたが、これはある面では正しい指摘であろう。

これを打開する方法の一つは、ニッチ市場を目指す事で独自の技術を生かす事である。日本の多くの企業は技術力を持っているが、商品力や販売力を持っていない。そのため、顧客から依頼を受けた製品だけを製造している中小企業が多い。そこで単に依頼された物を作る事や、人の真似をするのではなく、違う事をする事で新たな市場を作り出す事を考える必要がある。因みに欧米企業は人と違う事をする事が望まれているが、日本では〝学ぶより真似ろ〟の文化がある所為か、似た様な事をする傾向にある。そのためにも企業活動においてはこの〝学ぶより真似ろ〟は捨ててほしい。

また日本企業の購買担当者は物の価値を分かっておらず、単純に値下げ交渉しかできない人達が多い。それでその様な企業とお付き合いをするのではなく、海外に商機を求めるべきである。特にニッチの商品は日本の社会では中々認められないが、海外では認められる事が多い。それで海外に目線を移して、自信を持って海外での販路を開拓してほしい。

処方箋⑥ 勉強しないと卒業できない大学にする

この処方箋は個人や企業ではなく、政治または大学が主導し、世論が後押ししないとできない事であるが、自立を促すためには大変必要な事だと考えている。

日本の学校に行くためには、受験勉強を頑張らないといけないが、大学に入学した後はあまり勉強しなくても卒業できると云われている。特に文系はそうであろう。日本の学校は義務教育の期間は勿論の事、高等学校でも学校（先生）が何とかして学生を卒業させようとする。これが大学でも似ていて、学生を何とか卒業させ、無事就職させる所まで面倒を見ている。学生を甘やかしているのであり、その結果、自立できない学生を社会に排出している。この延長線上にあるのが中小企業に対する手厚い支援であろう。地域の自治体が何とかして企業を存続させようと補助金を出し、甘やかしているのである。

自分で道を切り開く意思を醸成するためには、子供を甘やかす事を止める事が一つの方策である。その一つとして、大学や高等学校の入試を簡素化する事で受験勉強の必要性を下げ、その代わりに勉強しないと卒業できない仕組みに変える必要がある。そして同時に敗者復活もできる仕組みが必要である。ここでいう敗者復活とは、一旦大学を辞めても入学試験から始めるのではなく、辞めた所から始められるとか、一旦社会人になってから簡単なテストのみで大学に入れる仕組み・制度の構築である。厳しさとやり直しが利く社会にする事で、自立を醸成する事ができるであろう。

7　処方箋２：収入を上げるために政治ができる事（低賃金労働の温床の撲滅）

日本人は何千年もの間、厳しい自然環境で生活してきている。地震や津波、台風や豪雨、等々、世界でも稀に見る自然災害が多い地域である。一方、四季があって、自然環境も豊かである。この様な場所に何千年もの間暮らす事で、自分が置かれている環境に対峙するのではなく共存する事を考え、そして自分の置かれている環境を変えるのではなく、どう適用するかに知恵を絞る習性になったのではないだろうか。なので、給料（収入）が上がらないのであれば、どの様に節約するかを考える。即ち、与えられた環境でどの様に工夫するかを長年考えてきた。我々日本人は、きっとこの様なＤＮＡを持つ民族なのだろう。そして多くの国民が節約を美徳とするため、商品やサービスを提供する側も安くする事に知恵を絞っている。このサイクルがここ30～40年もの間、回っている。

現実的には、この様な日本人の本質的な特性を変える事は簡単にはできないであろう。

日本人が数百年や何千年もの間に醸成してきた特性なので、何百年も掛けないと変わらないであろうし、変えてはいけない事も沢山ある。しかし、社会の仕組み又は法律をちょっとだけ変える事で改善できる事も多くある。

日本人はコストの削減意識が高い事を説明したが、それが行きすぎたため、労働者の賃金を抑え始め、低賃金の労働者を確保するための様々な施策が施されてきた。そうであれば、この問題を解決するためには低賃金の労働者を確保するための施策を中止・制限し、低賃金の労働者に依存しているビジネスの考え方を変える事が重要である。そして時短労働でも良い収入を得られる労働環境を作る事であろう。そのために我々日本人の特徴や美徳をなくさずに、政治の力でできる事は沢山ある。それは労働環境を変える事であり、低賃金労働者の供給及び職場を削減するための政策を考える事である。

それでここでは次の6種類の処方箋を考えてみたい。

⑦非正規労働者の賃金を正規労働者の賃金より高くする
⑧低賃金労働の温床の削減
⑨外国人語学留学生のアルバイトの禁止
⑩海外からの低賃金労働者の受入れ制限
⑪１０３（１３０）万円の壁の撤廃、又は大幅増額

⑫ 60歳からの時短労働の推奨

処方箋⑦ 非正規労働者の賃金を正規労働者の賃金より高くする

企業が事業を行う上で、恒常的に必要な職種（職務）について、その人員を非正規雇用で賄っている場合は正規の社員の給料より高い金額で雇入れるべきであろう。何故なら、非正規労働者は何時でも辞めさせられるリスクを背負っており、そのリスクを受入れる代償として非正規労働者として働いているからである。そして低賃金労働者の確保の方策として成り立っている。

例えばコンビニやスーパー、飲食店、その他販売店などのサービス業の多くはこれに当てはまるであろう。また製造業においても非正規労働者を増やしており、多くの業界にて非正規労働者に割増賃金を払う必要がある。割増の対象とならない雇用の分かり易い例は季節的な追加労働者で、お中元やお歳暮への対応や、年末年始の追加雇用などがあるだろう。

それでより具体的な方策を次に示したい。

・非正規雇用時間単価は正規雇用の10～50％増しとする。雇用期間が長い程割増率を低くし、短い場合の割増率は最大50％程度とする。

・正社員の支給額には一般的には年齢を加味した金額の場合も多く、非正規労働者の割増賃金もこの年齢を加味したモノとする。
・業界別に基準となる正社員及び非正規社員の支給額を決める。

ヨーロッパなどの一部の国々では業界別の労働組合が存在し、その労働組合単位で賃金を決めている。日本にも電機連合や自動車総連などの業界別（産業別）の労働組織があるが、これらの業界では企業単位で給料を決めている。ヨーロッパのやり方を真似るのであれば、業界別の労働組合によって、正社員及び非正社員の給料を決めた方が良かろう。そしてこの業界別労働組合の業界を広げる必要があるが、その際に連合（日本労働組合総連合会）などが労働組合の発足を後押し、業界別の標準的な賃金を決める事も考えるべきであろう。

処方箋⑧ 低賃金労働の温床の削減

前にも述べたが、日本には低賃金の労働者の雇用を前提としたビジネスが沢山あり、ありすぎると言っても過言ではないだろう。その代表格がコンビニやスーパーであり、ドラッグストアであり、そして多くの飲食店である。

コンビニについて考えてみたい。コンビニは約5・6万店舗存在しているのだが、仮に

１店舗当たり10人の人員が必要だとすると（1日8時間労働換算で）、約56万人の低賃金労働者が働いている事になる。またコンビニに卸している総菜&お弁当やパンなどを製造しているメーカも低賃金労働者の温床であり、因みにコンビニ最大手にお弁当を卸しているA社のホームページには、〝臨時従業員数7722名（1日8時間労働換算）〟という記載があった。コンビニ最大手向けには他にもお弁当を製造している企業があるので、仮にA社が最大手向け弁当の半数を製造しているとすると、この最大手のコンビニ向け弁当を製造するために少なくとも1・5万人近くの低賃金労働者が働いている計算になる（1日8時間労働換算）。またお弁当以外にもパン製造専門メーカも存在しているので、この最大手のみで少なくとも2万人程はいるのではないだろうか。そしてこの最大手のお弁当の売上はコンビニ全体で半分近くと云われているので、コンビニ業界全体で4万人となる。そうなると、少なく見積もってもコンビニ関連で60万人以上の低賃金労働者が存在している事になる。この60万人という数字は1日8時間労働でのフルタイム労働を基準に計算しているので、1日4時間労働とすると、120万人もの低賃金労働者がコンビニのみで存在している事になる。

現状、日本には現在約2000万人の非正規労働者が存在している（生命保険文化センターのサイトから）。この2000万人全員が低賃金労働者ではないが、この約半数の1000万人のパート労働者の殆どは低賃金労働者であろう。因みに残りの1000万人の内、500万人弱が契約・嘱託などで、400万人強がアルバイトで、残りの100万人強が派遣社員との事である。
この低賃金労働者の存在の中で、コンビニを問題視しているのは、コンビニ店舗の多さである。因みに、自分自身が使っている最寄りの駅から自宅までの15分程の道のりの間にコンビニが15店舗以上あるのだが、これだけ多くのコンビニは必要なく、3分の1程度でも十分である。これを日本全体で考えた場合、半分程度でも十分であろう。消費者に取ってはコンビニが沢山ある方が助かるが、半分に減ったとしても、それ程不便にはならないであろう。もしコンビニ店員への給料を日本人の平均給料並みに支払った上で、現在の店舗数を維持できるのであればそれでも良いが、現実は店舗を減らすか店舗別の売上数を伸ばさないと、ビジネスとしてやっていけないだろう。

もしコンビニの店舗が半減する事ができれば、次の様なメリットが生まれる。

・人手不足の解消になる（仮説で割出した120万からの推定で、最低でも30万人、想定では60万人以上の雇用希望者が生まれる）

この30万人（または60万人）もの人員を、場合によっては再教育できる機会を国が設け、もっと付加価値のある職業に就いてもらうべきである。またコンビニ以外でも供給過多の業界は沢山あり、それらの供給量が減れば、自ずと雇用希望者が増え、人手不足の解消にもなる。

コンビニで雇用する人件費が大幅に上がれば店舗数は多少減ると思われるが、それだけでは低賃金労働の温床は解消されないだろう。それで、店舗数を減らさせるための具体的な方策も考える必要がある。

具体的な方策として、例えば次の様なルールはどうだろうか。

・半径１００ｍ以内に別のコンビニ店の設置禁止（駐車場がない場合）
・半径５００ｍ以内に別のコンビニ店の設置禁止（駐車場がある場合）

但し、都心の巨大ビルに入居するコンビニについては、各ビルに1店舗あっても良いのかもしれないが…。

処方箋⑨ 外国人語学留学生のアルバイトの禁止

アメリカでは、大学や語学留学生の就労は禁止されている。働いている事が発覚すれば、強制送還となる。ヨーロッパでは、留学生に対する就労は若干オープンであるが、それはアメリカと違って就労目的の留学生が少ないからであろう。日本では中国や東南アジアからは仕事を求めて日本に来る人が大変多く、その方法として就労目的の留学生が大変多くおり、また多くのサービス業ではそれら留学生を受入れている。そうであれば、留学生の就労をアメリカ並みに制限する必要があり、少なくとも語学留学生は、アメリカ同様に禁止にすべきである。

日本人以外の民族は、外国語を学ぶのに日本人程時間が掛からない。人によっては半年程真剣に学ぶ事で、ビジネス会話レベルまで上達する人達も少なくない。実際、日本ではなく自国での勉学でビジネス会話レベルに達している中国人に何人も会った事がある。それでもワザワザ日本に来て語学留学する学生の殆どは就労を目的としている。そうであれば、その温床は排除すべきであり、そのため語学留学生のアルバイトは禁止すべきである。

大学や専門学校などへの留学生については、多少のアルバイトを認めても良いだろう。繰り返すが、アメリカではこれも禁止である。ちゃんと授業料を支払い、必要十分の学業を行っている事を前提として、例えば最大週10～20時間程度までOKとする。その際、留学生を受入れている大学や専門学校は留学生がちゃんと学業を行っている証明書を発行し、その証明書の定期的な定時を前提としてアルバイト可能とする。万が一、学校が不正に証明書を発行した場合は、学生のみならずその学生が通う学校もそれなりのペナルティーを払う事にする。

処方箋⑩ 海外からの低賃金労働者の受入れ制限

海外からの低賃金労働者の受入れも制限する必要があるのだが、受入れを制限すると労働者が足りなくなる可能性がある。その解決策の一つを〝⑧低賃金労働の温床の削減〟で述べている。そして賃金を上げる事で、大抵の場合は人を集める事は可能であり、工夫次第でできる。

それでここでは、具体的な制限の方策を考えてみたい。現在、次の3種類の方法で外国人の労働者を受入れているが、この施策の所為で低賃金の労働が維持されているため、今後これらの方法での受入れについて見直す必要がある。

㋐ 外国人技能実習制度：原則禁止

外国人技能実習制度は、〝技能実習〟という名目で外国人労働者を受けているが、低賃金労働者の確保の隠れ蓑になっており、また海外から人身売買の温床とも云われており、即刻禁止にすべきである。もし、本当の意味での技能実習を行う必要があれば、他に手段は幾らでもある。この低賃金労働者の受入れの隠れ蓑となっている〝技能実習〟は、即刻禁止（廃止）にすべきである。

次に、特定技能について考えたい。現在の特定技能の枠組を2種類に分類されている事自体を再考する必要があるが、現在の枠組を前提とした場合、例えば以下の制限が必要である。

㋑特定技能1号

・在留可能期間：原則半年～2年以内（現在は5年）
・再入国までの期間：3～6ヵ月間は再入国禁止
・家族の同伴は禁止
・妊娠発覚時は帰国して出産する事

特定技能1号は、概ねサービス業、農業・漁業、介護や、一般的なブルーカラーの職業である。この領域の労働者を安易に海外からの労働者に求めてはいけない。仮に労働者が不足していて海外から受入れる他に解決策がないとしても、様々なハードルを掛ける必要がある。

旅行関連のサービス業では、外国語を話せる人材が必要な職場もあり、外国人の労働者に頼りたくなる場合もある。その様なケースでは、高度人材として受入れる事で、上記の特定技能1号とは切り離して考える事ができる。

㋒特定技能2号（建設分野、造船・舶用工業分野）

・在留可能期間：原則1～3年以内（現在は10年）

・再入国までの期間：３〜６ヵ月間は再入国禁止
・家族の同伴は禁止
・妊娠発覚時は帰国して出産する事

特定技能２号の職種は〝建設業〟と〝造船・舶用工業〟となっている。〝建設業〟の人材が不足気味である事はかなり知られているが、〝造船・舶用工業〟は普通の製造業の一つである。この狭い業界のみ特別扱いしているのはちょっと驚きである。

建設業界は五輪が終わった事と、リモートワークが浸透しつつあるので、建設ラッシュは少し落ち着くはずである。そして日本は建物（事務所などのビルと住宅の両方）の供給過多であり、新陳代謝が激しすぎる。供給側の能力が減っても大きな社会的問題にはならないし、なってはいけない。

またこの両方の業界共、賃金を上げる必要があり、賃金が上がれば就業希望者が多少は増える可能性もある。

処方箋⑪　１０３（１３０）万円の壁の撤廃、又は大幅増額

アルバイトやパートをする上で所得税や社会保険料に影響し始める俗にいう１０３万円の壁は、随分前から主婦のパート収入の上限の目安になってきていた。最近はその金額が

106万円や130万円、または150万円だという話もあるが、103万円の壁は未だ生きている様だ。この103万円の壁は随分前からあったと思うが、最低賃金が低かった頃であれば、103万円でかなりの時間を働けた。しかし今は都会では時給は1000円を超えている。仮に時給1000円とした場合、年間で働ける時間は1030時間であり、月換算では約85時間、そして週換算では約20時間である。たった20時間で週5日のパートだと、1日当たり4時間である。もしここで述べている様に時給が上がったとすると、例えば時給1500円になったら、1日当たり3時間も働けなくなってしまい、これでは少なすぎる。そしてそもそも年間103万円の収入だと、今の生活では家計の足しとしては全く物足りない。

この問題については議論すべき箇所は沢山ある。家庭の主婦としてパートで仕事をする人と、フルタイムで働く女性とで、税制や社会保障の面で違う扱いで良いのかどうかなど、問題は山積みである。ここではこれについての深掘りはしないが、少なくとも103万円の壁と云われるモノは撤廃するか、または大幅に増額するなどの改善をする必要がある。

雇う側としてもメリット・デメリットがある。103万円の壁がある事で、低賃金でも我慢して働いてくれる主婦がいる事で大変助かっている一方で、103万円を超える時間を働かないために、別の人材を探す必要がある。しかし、雇う側は低賃金労働者の存在に甘えていてはいけない。ちゃんと仕事に見合った給料を払うべきであり、低すぎる賃金は是正すべきである。

処方箋⑫ 60歳からの時短労働の推奨

近年、多くの企業が定年の年齢を65歳または70歳まで上げてきており、大変良い傾向である。60歳まで生きてきた人の平均寿命が男性は84歳、女性は90歳近くになっている現状、60歳での引退は早すぎる。最低でも人生の半分、できれば人生の6割の期間は働くべきであろう。84歳まで生きたなら5割では42年、6割だと50年は働くべきであり、90歳まで生きたなら、5割では45年そして6割では54年は働くべきである。人生が84年だとすると、大学を卒業した人の場合、5割だと22＋42で64歳まで、6割だと22＋50で72歳まで働く。人生90年の場合、22＋45＝67歳または22＋54＝76歳まで働きたいモノだ。

因みに海外では早期に退職して余暇を楽しみたいといった価値観を持った人は多くいるが、日本人の価値観は少し違う。何時までも働く事が我々日本人の価値観であり、美徳である。それを社会としても支援できる仕組みが必要であろう。しかし仕事をするとしても、若者と同じ労働時間では体が持たない。人生の半分は若者と同じ時間の労働時間としても、残りの1割は時短で働きたい。そのため、週2〜4日の労働または週20〜30時間の労働で、人生を楽しみながら労働生産性を最大値に保ちたい。

先に述べた様に、60歳まで生きてきた人の平均寿命が男性は84歳、女性は90歳近くになっている。年金についてはどの程度支給されるかの凡その情報は得られ、定年時の貯蓄も自分で予測できるであろう。そうであれば、老後に使えるお金は簡単に計算できる。そしてその計算結果から、60歳以降、何歳辺りまで働く必要があるかを計算できる。これを行う事で、60歳以降も継続して働く必要がある人もいるであろう。しかしその場合であっても、老後はあまりあくせく働きたくないし、余暇を楽しむ余裕も欲しいであろう。そのための人生設計をしっかり行いたいモノである。

しかしここで問題になるのが高齢者の賃金である。一部の企業では、60歳の定年後の再雇用では、賃金を大幅に下げて雇用しているケースが多い。これは絶対に行ってはならないし、法律として再雇用の賃金を守らなくてはならない。また一部の高齢者は既に十分な蓄えを持っていて、賃金を敢えて安くして労働を続ける人達も少なからずいるが、これもやってはならない事である。その理由は、高齢者が能力よりも低い賃金で働く事で、60歳以下、特に若者の労働を奪う事になるからである。企業に取っては、経験が浅い若者よりも、経験豊かで低賃金で雇える高齢者の方が望ましいに決まっている。そのため、能力より安い低賃金で働く高齢の労働者の存在は、若者の雇用を奪っているとの自覚を持つ必要がある。そのため、高齢者であっても賃金はその人の能力に見合った金額を払う必要がある。そのため、前にも書いた年齢を加味した賃金体系に、高齢者の分も含める必要がある。

8　自立している人達の例

自立していない日本人が多い中、自立している人もそれなりにいる。自立しているかどうかを客観的には言うのは難しいが、個人的な判断で自立していると思われる人を何人か挙げたい。

この箇所の文章の下書きを始めたのが日曜日なのだが、自分はほぼ毎週日曜日の朝7時から日テレの『所さんの目がテン！』を見ている。これを書いている時にこの番組の残像が残っているので、この番組に出演している人の中から、主観的な判断で〝自立〟している人を挙げたい。

・所ジョージ氏

所さんはTV局に媚びている感じがしないし、彼自身がちょっとした発明品を出しており、他人に頼っている雰囲気が全くない。そして彼は大変な多趣味である。一般的に多趣味な人の多くは、自立しているのではないかと考えている。趣味を人生の中心に置いている場合、仕事は趣味に没頭するために必要な収入を得る手段であり、その仕事に過度な依存をしていない人が多いからだと思われる。

・N氏

『所さんの目がテン！』の番組の中に、「かがくの里」と名付けた場所で農業や里山を〝かがく〟しているコーナーがあるのだが、この人は、「かがくの里」の地元に住んでいる人で、農業、土木、林業、建築など、様々な分野でプロまたはプロレベルの支援を行っている。そして多趣味でもある。これ程の能力を持っている人が近くにいると、大変頼もしいと感じるであろう。そして、隈研吾さんがかがくの里の家の設計をする事が決まった時、「田舎なので、蜘蛛の巣ができ易い家の設計は止めた方が良い」とのアドバイスをしていたが、大変適切なアドバイスを相手が傷つかない様に言っていたのが、大変印象深い。

第2章　理念・哲学の欠如

1　理念・哲学の欠如の問題

今の日本人が抱える問題の中で、２番目に深刻なのが、〝理念・哲学〟の欠如であろう。その典型的な例が岸田首相を筆頭とした多くの政治家であり、財務省を筆頭とした霞が関の公務員である。どうも岸田首相は首相になって何かを実現したい訳でもなく、この〝首相になる〟目的を達成する事だけに努力してきた感がある。理念・哲学を持っていないためにこれといった自分の考え持ち合わせていない様で、前々任の安倍元首相とは正反対である。前任の菅元首相もそれ程理念・哲学を持っていた様には見えなかったが、安倍路線を踏襲した事と、仕事を遂行する能力を持っていた事が我々国民に取って幸いしていた。岸田首相の就任当初、〝聞く力〟があると言っていたのだが、それは理念・哲学を持ってないため、人の意見を聞くしか方法がなかったのであろう。首相になってから実現したい事がないから、人の意見をただ単に聞くだけある。そして一番意見を聞いている財務省が進めたい増税のみを実行した様である。

岸田首相の批判はこの程度にして、この理念・哲学の欠如は何も岸田首相や政治家のみの問題ではない。国家公務員の殆ども、理念・哲学を持たずに、国家運営の一端を担っている。誠に恐ろしい事である。理念・哲学を持っている人が国家公務員になったら、国家公務員である事にいたたまれなくなってしまうであろう。

理念・哲学を持たず、そしてブレない考え方を持たなければ、次の章で述べる〝毅然とした態度〟は取れない。また理念や哲学、またはブレない考えを持っていない状態での〝毅然とした態度〟は、単なる我儘であろうし、場合によっては自分の私利私欲のための行動になってしまう。〝私利私欲〟も取り方によっては理念や哲学かもしれないが、他人がその事を悟れば、他人はその人から離れていくだろうし、協力もしなくなるだろう。そして理念・哲学を持っていないと、問題が発生した場合にその場しのぎの対応になり、問題を適切に対処できずに右往左往してしまうであろう。但し、残念ながら金銭的な損得が絡んでくると、共感できない理念や哲学についていく場合もあるし、理念や哲学よりも損得が優先する場合もあるが、この点についてはこれ以上深掘りしないでおこう。

この章では書き方を少し変えて、先に処方箋を述べ、その後に理念や哲学の有無がどの様に影響するかと考えてみたい。

２　処方箋：理念・哲学を持つには

〝理念〟や〝哲学〟は簡単に得られるモノではなく、読書を含めた様々な経験を経て漸く身に付くモノであろう。そのため、理念や哲学を持つためには、次の２つが大事だと考えている。

処方箋⑬　〝何故〟、〝何のために〟を考え、最終的にどうあるべきか（〝あるべき姿〟）を考える

処方箋⑭　一人で考える時間を作る

理念や哲学を持つには、日頃から「何故」や「何のために」を考え、最終的に「どうあるべきか（あるべき姿）」を時には瞑想の様に考える事で培われ、漸く身に付ける事ができるであろう。

これはコンサルタントの仕事と類似している面があり、物事に深く考える習慣を付ける事で、より良い考え方が身に付く。時には〝仮説〟を立て、その仮説によってどの様なメリット（何が良いのか）があるのかを考え評価し、その〝仮説〟を修正する事を繰り返す事で、確固たるモノ（理念や哲学）を得られるのではないだろうか。

3　理念・哲学を持つ事での違いの例

それでは理念や哲学を持つ事によるメリットや持たない事によるデメリット、そして問題が解決し易くなる例を、次のシーンで考えてみたい。

Ⓐ子育て
Ⓑ企業経営
Ⓒボランティア
Ⓓ政治と（霞が関の国家）公務員
Ⓔマスメディア

Ⓐ子育て

一番取り組み易い事例として、多くの人が経験する子育てに関して理念・哲学を考えてみたい。

子育てを行った夫婦の多くは、子育てに関して何回も夫婦間で揉めた事があるだろう。揉めた事がない夫婦がいるかもしれないが、その様な夫婦の理念・哲学が偶々一致していたために揉めなかったであろう。大変幸せな夫婦であり、家族である。

子育てに関しては、人生哲学が大変大事である。人間に取って何が幸せなのか、そして何が大事なのか、などの考えが整理されていないと、自分の子供に対して行ってあげる事が、常にブレてしまい、子供の教育についての理念や哲学の違いが、そのまま子供の育て方に影響してくる。そして子供の育て方は代々受け継がれ、自分が受けた教育から全く違う育て方は中々できない。唯一できる事として、自分が子供の頃に嫌だった事は、反面教師的に実行しない程度で、自分が生まれた環境に大きく左右される面がある。そのため、結婚は全く違った人生を歩んだ二人が共同生活を行う訳なので、子育てに関しての理念や哲学（人生哲学）、そして価値観が違って当たり前であり、それが万が一同じである場合は大変幸せな事である。そして可能であれば、結婚前にその辺りのお互いの考え方を理解していた方が理想的である。

俗っぽい言い方をすれば、子供に一流大学を出て一流企業に勤めてほしいと考える親は沢山いるだろうし、安定した公務員になってほしいと願う親もいるだろう。またプロのスポーツ選手になってほしいと願っている親もいれば、子供のやりたい事を自由にやらせる親もいるだろう。また平凡で質素な人生を望む親もいれば、人を幸せにできる人になってほしいと願う親もいるだろう。それは人それぞれで、〝何が正しいか?〟といった考えはない。

そういった中、多くの家庭では次の事で揉めた経験があるのではないだろうか。

㋐習い事（スポーツ含む）
㋑中学受験と塾
㋒家庭内教育（お手伝いを含む）

これらについて考える際に、「何故?」「何のために?」「メリット（何が良いのか?）」を考えてみよう。そしてスポーツの場合は「続けさせる理由は?」も考えてみる事で、自分なりの答えが出てくる。

㋐習い事（スポーツ含む）
習い事の一つとしてスポーツがあるが、多くの小学校の学区内や近隣で子供の野球またはサッカーチームがあるだろう。また水泳教室も結構沢山ある。それから卓球、柔道、そして近年はバスケットボールやバドミントンなどのクラブもある様だ。多くの親は、子供の健康を願ってスポーツを積極的に習わせている。これについての「何故」や「何のため」についての両親の考えの違いはあまりなく、親同士で揉める事は少ないであろう。

チームスポーツの場合、レギュラーになれないと劣等感を感じてヤル気をなくしたり、親自体が不満に思ったりするケースがある。この様な場合になると親の理念や哲学が問われ、「続けさせる理由は?」を考える事になる。それは、子供にスポーツを通じて何を学んでほしいのかの考え方次第で、取る道が違ってくる。親の願いや思いは色々あり、「勝つ事」が大事なのか、「楽しむ事」が大事なのか、そして「チームワークや応援する大事さを学んでほしい」や「友達、仲間を大事にする」もあるだろう。また「裏方、または縁の下の支え」を学ぶ事も大事であろう。それから続ける事で我慢強さを醸成できると考える親もいるだろう。これは親の考え方、教育方針、即ち親が持つ理念や哲学次第である。人間は時には失敗し、挫折を経験する。なので「挫折」、「自分の限界を知る」などを経験する事も大事であるが、これを親がどう考えるかによって対応が違ってくる。

ピアノなどの芸術系の習い事をさせる場合でも、理念や哲学の違いが明確に出てくる。そしてこれは子供のためよりも、大人の見栄が多少入り込んでくる。スポーツの場合は多少不得意であっても子供の健康やチームワークを学ぶ事などメリットは多いし、遊びの延長でもある。一方音楽の場合、かなり幼少期から始める家庭も少なくない。子供本人が好きで行うのであれば問題ないが、音楽の楽しみ方には色々あり、楽しむ目的での楽器の習得は、ある程度大きくなっても十分できる。またスポーツや音楽でトップを目指す場合は子供の頃から始めた方が良いとも云われているが、それはあくまでトップを目指す場合の話である。またスポーツはある程度努力する事で伸びる可能性はあるが、音楽は持って生まれたセンスに殆ど左右され、音楽でトップを目指すべきかどうかの判断は、凡そ幼少期で見極められる。勿論、スポーツ同様に音感を鍛え、楽器を引けた方が良いに決まっているが、楽器はピアノ以外に幾らでもあるし、ギターなどの楽器であればある程度成長してからでも決して遅くはない。繰り返しになるが、一番大事な事は楽しむ事である。

ピアノを習わせる事で理念と哲学の違いが一番表れる事が、〝どのクラス（価格帯）のピアノを買うか〟であろう。音楽学校を目指す程の能力を持つ子供であれば高級品を買い与える事も良いが、楽しむレベルであれば、安価なピアノでも十分であろう。しかしその様な場合でも、親の見栄を表現するために高級品を欲しがる親もいれば、安価な電子ピアノで十分と考える親もいる。楽しむ目的であれば、鍵盤が光る様な電子ピアノの方が子供に取っては楽しいはず。但し違う考えとして、子供の頃から良い物に触れる事で、良い物を見極める能力が付くといった考えはあるだろう。

この様に、子供にピアノなどの芸術系を習わせる目的や理由は、親の理念や哲学によって違ってくる。

㋑中学受験と塾

小学校の高学年になると、中学受験の準備を考え始める親も多く、早い家庭では小学校低学年から始めさせている。この様な場合にも、子供の教育に対する考え方（理念や哲学）の違いが如実に現れてくる。それは小学生の子供に取って、〝何が大事か〟の考え方の違いである。最近は公立の中高一貫校が出てきたので多少は様相が違ってきたが、中学校を受験させ、私立の学校に行かせる場合はそれなりの考えが親にはあるだろう。

色々な考えがあると思うが、その一部を想像してみたい。先ずは、中学受験推進派の意見として、

- 子供に受験勉強の回数を減らしたく、一般的には高校と大学受験の2回行う所を1回の中学受験に減らし、大学までエスカレータ式に行ける私立大学の付属中学を目指させる。
- より良い教育を受けさせるために、大学受験で良い結果を残している中学（中高一貫校）を目指す。
- 一流大学を卒業して、一流企業に就職してほしいとの思いから、一流大学の付属中学に入れさせたい。

などの考えがある。これらは主に日本の有名私立大学を目指す子供（親）であろう。

次に、中学受験反対派の意見を想像してみよう。

・高学歴でも社会で役に立たない、または仕事のできない人間は沢山いる。
・地元の小学校の同級生と同じ中学に通わせたい。
・少なくとも小学校までは伸び伸び過ごさせたい。

これは何が正しいかではない。子供の将来を案じた場合、何が良いのかの考え方のぶつかり合いである。これは正に人生哲学のぶつかり合いであり、人生での経験の違いや差が如実に現れてくる。個人的には子供は遊ぶ事が仕事であり、勉強は必要最低限で十分で、中学受験は悪だと思っている。

そもそも、日本には国公立の大学が少ない事が大元の問題であり、そして〝受験〟という不毛な制度が問題なのだが、残念ながら現在の状況下ではこれを避けて通る訳にはいかない。その上で、どの様な選択をするのかを考えるのが親の責任であり、親の理念や哲学がその判断に大きく左右される。

㋒家庭内教育（お手伝いを含む）

家庭内での教育にも、考え方（理念や哲学）の違いがある。箸の持ち方などの普通のマナーとは別に、お手伝いを含めた家庭内での教育についての考え方に大きな違いが出るだろう。子供が小学校までは多くの家庭では子供にお手伝いをさせていると思うが、中学受験も含めて勉強が忙しくなってくると、それまで行っていたお手伝いをしなくても良い家庭が多くなる。

それから家庭内での教育には、お手伝い以外にも沢山ある。単純な炊事・洗濯・掃除などの家事全般に関するお手伝いをさせる事は、後に記載する少子化問題にも関係があり、大事な家庭内教育の一つであろう。また広義に捉えたお手伝いとして、ちょっとした日曜大工や家庭菜園を手伝わせる事も、先に述べた〝自立〟との関係もあり、大事な事である。また社会の仕組みや歴史、そして日本の文化を教える事も大事な家庭内教育である。

これらの家庭内でできる、または家庭内ですべき教育を学校に任せっきりの親は大変多いのではないだろうか。これらの家庭でもできる教育に関して、親の考え方は様々である。そしてこれらは自分の親が自分にしてくれた事を自分の子供にもできる事であり、継承されていくモノでもある。そして最終的には各親が自分で考え、良いと思う事を実行する事が大事であろう。

Ⓑ企業経営

企業経営においても、経営理念や経営哲学を持つ事は大変大事である。企業がブレない経営を行い、永続的に反映するためには、経営理念や哲学が必須と言っても過言ではないだろう。「何故」そして「何のために」企業が存在し、大きな問題にぶつかった時に「どうあるべきか」を考える上で、理念や哲学が経営の指針となる。そして理念や哲学がないと社員はついてこないし、また企業は間違った事をしてしまう可能性が高まるであろう。

企業が設立された当初は、企業勤めの時に優秀だった人が独立したい一心で企業を立上げ、経営理念や経営哲学など殆どない状態でビジネスを始めている人も多いだろう。売上と利益を得るために一生懸命働いているため、ある程度は企業を存続させる事はできている。また商才に長けた人がビジネスを始め、成功する場合もあるだろう。血気盛んな経営者は能力が高く、事業を進める熱意を持っており、イケイケドンドンで突き進んでいける。それから野心むき出しの金儲けのためにビジネスを始める人もいるだろう。そして社員も同じ熱意と能力を求める経営者も少なからずいる。商才があるので、一時は事業が発展するだろう。しかし時間が経ち、企業の規模が大きくなると様々な問題に遭遇し始める。経営者と社員との間に分断ができ、突然社員が辞めたり、信頼している仲間が裏切ったり、様々なトラブルが待っている。

経営者が自分の利益を最優先にしていたら、従業員はついてくるだろうか。答えは〝Ｎｏ〟であろう。もし経営者が、従業員も経営者と同じ情熱と熱量で働く事を期待していたら、従業員はついてくるだろうか。答えは小規模であれば可能であるが、従業員の数が増えると無理であろう。顧客や社会に不利益を与える様な企業では、従業員は喜んで働いてくれるだろうか。当然答えは〝Ｎｏ〟である。

この様な分断やトラブルを生んだのは、経営理念や経営哲学の不在が原因ではないだろうか。そして漸く多くの創立者は、経営理念や経営哲学の大事さに気が付く様になる。

残念ながら殆どの経営者は問題を抱え、経営に悩んでいる。様々な問題に対してどうすべきか、そしてどうあるべきかの解が見つからず、苦しんでいるのである。そしてその悩みを相談する相手がいない場合が多く、その悩みを共有・共感する経営者向けの勉強会も沢山ある。中小企業向けの勉強会に数回参加した事があるが、そこで様々な業種の経営者の悩みを聞く事ができた。勉強会に集まる経営者の悩みの中で多かったのが、「自分が思い描いた様には社員が働いてくれない」であったと記憶している。会社が伸び悩み、経営に悩み始めて漸く、何が問題なのかを模索し始め、理念や哲学の重要性に気が付くのであろう。

経営哲学や経営理念に必要な事は、

㋐「何故」、そして「何のために」ビジネスを行うのか

㋑それは市場または顧客に取って何の価値（メリット）があるのか

㋒そのビジネスを行う事で、社会的な意義または貢献は何か（社会貢献）
㋓ビジネスを続けるために、会社はどうあるべきか（規約）
㋔ビジネスを続けるために、社員をどう扱うか（待遇）

などであろう。㋐～㋓を実行するのが社員であり。そのためには優秀な社員が欲しいと願うのが一般的な経営者である。しかし仮に優秀な人材が集まったとしても、その社員が能力を発揮しなければ何も実現しない。そのための㋔である。優秀な人材を集めるのではなく、社員のヤル気を引き出す事の方が大事であり、そのために経営理念や経営哲学が必要になってくる。それで企業の経営者はこれら㋐～㋔を時々振り返り、時には見直す事も必要である。常に自戒の念を込めて…。

©ボランティア

理念や哲学の重要性を考える上で、〝ボランティア〟というちょっと変わった題材を使って考えてみたい。

東日本大震災以降、毎年の様に自然災害が発生している。水害が多いのだが、災害による被害の後片付けだけでなく、精神的なケアや、場合によってはビジネスに近い活動を行う事もある。それで、このボランティア活動の「何故」「何のために」を考えてみたい。

厚労省が記しているボランティア活動の定義を参考にしたい。厚労省では、

「自発的な意志に基づき他人や社会に貢献する行為」を指してボランティア活動と言われており、活動の性格として、「自主性（主体性）」、「社会性（連帯性）」、「無償性（無給性）」等があげられる。

とあり、自らの意思で他人のために無償で活動をする事である。そして重要な事として、そこには見返りを期待してはならない。これがボランティアの理念であり、哲学である。しかし、一部の人はボランティアを行う事で、何等かの見返りを期待する場合があるのだが、ここに大きな勘違いや問題が発生する。〝見返り〟と言ってもボランティアなので金銭的な見返りではないが、〝感謝されたい〟だとか〝役に立っている事を実感したい〟などがある。そしてこの願いが強くなると、ボランティアは長続きしない。

自分自身、2011年の東北地方太平洋沖地震の後からボランティア活動を始めた。東北に行った理由は、現地の惨状を知りたいという事と、何等かの支援をしたいという思いからの行動だったのだが、実際、沢山の人が似た様な動機でこれを機会にボランティアを始めたであろう。勿論、多少は〝感謝されたい〟という思いもあった。しかし、それらはすべて漠然とした思いであって、兎に角現地に行って何かをしたいという思いが

一番強かった。

確か3回目辺りだったと記憶しているが、大規模にボランティアを募集し、そして沢山の長期ボランティアを現地に送り込んでいるある団体のボラバス（ボランティアのグループを乗せるバス）に参加した時の事である。季節は秋頃で、現地に長期間ボランティア活動をしていた支援者の何人かと会話したのだが、かなり落ち込んでいる様子だった。その理由を聞くと、自分が行ってきたボランティア活動に限界を感じ、東京に帰るとの事。掘り下げて聞くと、ボランティア活動を通じて知り合った現地の人が自殺をした事で、今までのボランティア活動が無意味だったのではないかと落胆していたのであった。一生懸命に支援し、励ましながら、現地の人の力になろうと何ヵ月も努力してきたのに、自分の努力は何だったのかと…。そして自分の無力さを感じ、ボランティアを辞めて東京に帰ると言っていた。

これは大変難しい問題である。数ヵ月も東北に滞在し、現地の復興を願い無償で活動し、そして生き残った人達の支えになろうとして支援してきていたのだから、大変ショックだったに違いない。もし自分の知り合いが自殺したら、それは大変悲しい事であり、落胆していたのも十分理解できる。しかしそこで、自分の無能さを感じて、または責任を感じてボランティアを辞める必要はあるだろうか？

この話を聞いた後に随分考えたのだが、その結論は〝ボランティアには見返りを期待してはいけない〟という事である。事業（ビジネス）上での見返り（収益）を求めるのは当然の事だが、ボランティアはあくまで自主的な活動であり、見返りを求めるモノではない。但し、彼等長期滞在者達はボランティア以上の事を行っていた様でもあり、悲しみと落胆はよく理解できる。しかし、結果を求めてはいけない。

ボランティアは究極の自己実現の要求を満たすモノであり、自己満足のための行動ではないだろうか。それは自分自身が人のために良い事を行っていると思いたいがための行動である。そのため、ボランティア活動の後は、気持ちがスッキリする。特に一心不乱に働いて汗をかいた後の清々しさは、何物にも代えがたいモノである。この清々しさが得られなくなったら、ボランティアは辞めるべきであろう。

中村哲医師の例

ボランティア活動の事例として、アフガニスタンで長年活躍された中村医師の活動を考えてみたい。中村医師については面識もないし、書物も読んだ事はないが、推測でこの偉業について考えてみたい。

中村医師は最初、医療ボランティアのメンバとしてアフガニスタンに入った。そして現地人を治療する過程で、貧困が病人を作り出している事を悟った。医者として表面的な問題（病気）を治すのではなく、病気になる人を減らす事の重要性に気が付き、貧困を撲滅しないと病人は後を絶たないと悟った。それで、農地を増やすために運河を作り、耕作できる土地を増やしていく活動を始めたとの事である。中村医師についてはTVなどで取り上げられる事も多く、知っている人も多いであろう。

医者としての究極の目標は、病気を治す事ではなく、病気にならないためのアドバイスや指導をする事であろう。この意識はコンサルタントにも通じ、顧客が希望する問題を解決するのが上辺のコンサルタントの仕事の仕方であり、顧客が抱える問題の根本原因を指摘してそれを是正するためのアドバイスするのが本当のコンサルタントの仕事である。そしてその問題点を是正できた時は至福の喜びである。中村医師も病人がいなくなる事が究極の喜びであり、それを生きがい、または人生の目的としてアフガニスタンでの活動に取り組んでいたのではないだろうかと想像している。

Ⓓ政治と（霞が関の国家）公務員

政治家には、理念や哲学を持っている事は大変重要である。特に国政においては必須条件である。政治は地域住民のため、または国家・国民のために働く事であり、そこに私利私欲のためや、特定の個人や組織の利益を享受するために働いてはならない。そのためには、理念や哲学がない人に担ってもらってはならない。そして政治はある意味において、清々しさはないが、一種のボランティア活動でもある。

国民は、政治家が持っている理念や哲学を評価した上で投票する必要がある。そしてその理念や哲学に沿った活動をしているかどうかを監視する必要がある。また国政レベルの政治家には、理念や哲学以外に国家観や歴史観も評価する必要があるが、ここでは理念や哲学についてのみ考えていきたい。

この問題点を論じる上で、もう一度岸田首相を例に挙げたい。岸田首相は理念や哲学がない様で、外務大臣時代のお粗末な言動からも露わになっている。理念や哲学がないために〝実現したい事〟がなく、総理大臣の権限で人事を行い、繋がりの深い財務省の意向に沿って動く事だけの様だ。2022年の参議院選挙以降、漸く具体的な発言や行動をし始めたが、それはマスメディアなどからの強い批判から漸く取った行動であり、判断力・決断力も持ち合わせていないため、その殆どが場当たり的でチグハグな対応に見える。

余談だが、安倍元首相と岸田首相の両人をよく知るジャーナリストによると、安倍さんと岸田さんとは同期なので、よく一緒に酒を飲んで語り合う事が多かったと云う。しかし、語るのは安倍さんのみで、岸田さんは全く自分の考えを語らなかった。そのため、安倍さんは岸田さんの考えが、結局全く分からないと話していた…と。

残念な事に、しっかりとした理念や哲学を持っている政治家は大変少なく、安倍元首相は別格だった様だ。菅元首相はこれといった理念や哲学をそれ程持っていなかった様だが、ただ愚直に仕事をしたいという考えを持っていて、菅元首相が支持していた安倍元首相の方針を踏襲した様である。会社に例えると、安倍元首相がＣＥＯで菅元首相がＣＯＯといった感じだろうか。しかし、岸田首相には何もない。そして野党の政治家はもっとお粗末で、困ったモノである。

ここで国政の政治家に必要な理念・哲学は何なのかをちょっと考えてみたい。そして将来、個々の政治家がどの様な理念・哲学を持っているのか確認したいと思っている。もし、岸田首相の様に理念・哲学を持っていないのであれば、持っていない事が露わになる事で、将来は淘汰される事になる様になってほしいと願っている。

では国政に重要な政策は何だろうか？　個人的な意見であるが、重要なモノから列挙していきたい。理念・哲学によって、これらの政策も違ってくるであろう。

㋐経済（経済安全保障含む）
㋑国防（エネルギーを含む）

㋒農業&食料
㋓教育
㋔外交

例えば経済に関して、増税と減税、利上げと利下げ（現状維持）、などは明確な違いがある。また国防においては、平和で安全な国を維持するために防衛はどうあるべきか、専守防衛や抑止力などに関しての賛成と反対等々、政治家の考えを確認すべき事項は沢山ある。国政を担う政治家には必ずこれらの理念や哲学を公表し、国民が判断できる仕組みが必要であろう。そしてお金を地元に持ってくるのが仕事ではない事を強調したい。

但し、政治家の中の一部には、次の様な項目に特化して取り組みたいと考える政治家がいても許容されるだろう。実際、平成期に関西の有名な漫才師が福祉に関して強い思いがあったために政治家になり、行動した実例もある。但し、それは一部の政治家に限定したい。

㋕福祉・健康
㋖環境

政治家については、次の三つの事も注意する必要がある。

嘘の理念や哲学を言う場合がある

残念な事に、嘘をつく政治家は沢山存在する。一見良い事を言っているが、実際の行動が伴わない、または違った事を行う政治家が沢山存在する。これも岸田首相の例を挙げると、就任当初に「所得倍増」と言ったが、それに向かって何かをやっている節が全くない。というよりは、増税を匂わせている。また所属する政党を躊躇なく変えたりする政治家も沢山いる。また政党の基本方針とは反目する事を発言し、行動する政治家も沢山いる。

そういった意味で、政治家の言動が一致しているかどうかを評価する必要があるのだが、普段仕事をしている人が、個別の政治家の行動を追いかける事は大変難しい。選挙区の数が少ない地方では、地方のTV番組や地方の新聞で地元の政治家の活動を取り上げる事が多いので、地方に住んでいる人の場合は多少政治家の言動を知る機会はある。しかし大都市、特に関東圏では地域の政治家の数が多い事と、全国向けのTV番組しか放映されないため、有名政治家以外の地元の政治家の言動を受動的に知る方法はほぼ皆無である。

しかし幸いな事に、近年はインターネット社会の発展のお陰で多くの政治家がSNSなどで活動を発信している。また地上波ではなく、ネット番組などで、より深い情報が発信されている。そして〝選挙ドットコム〟の様な、選挙と政治関連の情報を発信しているサイトも出てきている。今後我々国民は、この様な情報源から能動的に情報を取りにいく事が必要になるだろう。

政治は理念・哲学だけでは不十分

良い哲学や理念を持っていても、それの実現方法や国民への発信の仕方が間違っていると、国民からの指示は得られない。例えば、政党が自分達の理念や哲学が正しいという事を上から目線で言ってきても、それを支持する人は増えない。これが明確に表れた一つの例が、２０２２年に行われた参議院選挙だろう。政党名は伏せるが、かなり年齢が高い人達が集まった保守系のA党がまさにそれだった。理念や哲学はもとより、世界の情勢も含めた知識が豊富であるが、情報の発信の仕方や国民への訴え方が良いとはいえなかった。自分達の主張や考え、そして現状の問題点を発信するだけで、国民、特に若者が共感できる口調で語っていない。自分達が正しいと言っているだけで、大変残念であった。

一方、類似の理念や哲学を持つ保守政党のB党は、国民に現在の問題点について共感を得られる様な形で発信し、そして聴衆を巻き込む形で対応策を発信した。そしてA党よりは遥かに若いエネルギーと情熱を発信する事で、国民から一定の支持を受けていた。そして結果として議席を得ている。

政治家は行動力・実行力も必要

良い哲学や理念、そして政策を持っていても、それを実現するための行動力・実行力がないと、その価値は半減する。世の中には評論家の様な良い考えや意見を持っている人も沢山いるが、それを実際に実現させていく行動力や実行力となると、心もとない人が多い。この点についても、我々国民は注意する必要があるだろう。

霞が関辺りの国家公務員にも、しっかりとした理念や哲学を持って頂きたい。その中身は政治家が持つべき理念や哲学とほぼ同じではあるが、彼等の役割は政治家が決めた方針に沿って活動をする事が中心であるためそれ程強い考えがなくても良い。そして、国家・国民のために働く事には違いはない。

霞が関の国家公務員も前出の㋐〜㋖を考え、そして各大臣や関連する政治家と自分の㋐〜㋖比較し、常に自分の考えや行動を見つめ直してほしい。決して、自分の省庁内での立場を優先するのではなく、そして天下り先を作るのに一生懸命ではなく、国家国民のために何が必要かを考える事が必要である。その前提として省庁自身が理念や哲学を持つべきであり、それを理解した人が入省する必要がある。

例えば、国民のために職務を遂行する事が当然であるが、自分達の利益や利権のために活動してはならない事も当たり前である。財務省であれば、如何にして国民の負担を下げるために税金を下げる事を考えるべきであるが、今の財務省は何かと税金を上げる事のみを考えている節がある。また集めたお金を貯め込んでいる事も問題であり、過去には埋蔵金という形で心ある人が暴露してくれている。また多くの省庁では天下り先を作る事に精を出しているが、この様な事は、行ってはならない事として各省庁の理念や哲学に明記すべきであろう。

Ⓔマスメディア

誠に残念な事ではあるが、公平で正確な報道を続けているマスメディアは存在しないといっても過言ではないだろう。公平で正確に近い報道をしていると主張はしているだろうが、殆どのマスメディアは公平な報道をしているフリをしているだけで、偏った報道や不正確な報道を続けている。好意的に受け止めた場合、マスメディアは社会のありとあらゆる事に精通している訳ではないので、どうしても時には間違った報道をしてしまう事はあり得る。しかし、殆どのマスメディアは恣意的に彼らが伝えたい情報を、そして場合によっては捻じ曲げて情報を発信している。

アメリカでは、各マスメディアが彼らの立ち位置を表明しているので、聞く側もそれを知った上で補正する事が可能ではあるが、日本のマスメディアはそれを表明していないために、それを知らない多くの日本の国民は、マスメディアが発信する情報を信じている。

その昔、ある西洋の民族が自分の民族を優位な立場にするために、マスメディア業界を牛耳っていたという。昔なのでＴＶやラジオはなく、大手の出版や新聞を独占していたとの事である。そして今もその流れが続いているのか、社会では偏った報道が大変目に付く。残念ながら、日本の教育ではその様な事を教えておらず、ＴＶや新聞を代表とするマスメディアが発信する情報を正しいと信じている。

これを正す方法は主に二通りある。その一つはマスメディアが変わる事であり、二つ目は情報を受け取る側が賢くなる事であるが、一番確かな解決策は、受け取る側が賢くなる事であろう。マスメディアが変わる事はほぼあり得ないが、ここではダメ元でマスメディアが変わる事を願って考えていきたい。

極端な話、マスメディアが存在しなくても人々は生活できる。特に最近はネットなどで多くの情報を得られるため、個々の人々が情報の発信者元に成り得る。そのため、情報を歪曲するマスメディアは段々不必要な存在になりつつある。実際、最近は新聞を読まず、TVを見ない若者が増えている。それでこの様な現状も踏まえて、マスメディアが存在するための理念や哲学を考えてみたい。一般の企業経営の場合は様々な理念や哲学が考えられ、敢えて具体的な所まで踏み込まなかったが、マスメディアのあり方については少し踏み込んでいきたい。

マスメディアについても他と同じ様に、次の事を考える必要がある。

㋐マスメディアが「何故」必要で、「何のために」に存在しているのかを考える
㋑マスメディアが存在するための「あるべき姿」を考える

マスメディアの存在意義は、世の中で起こっている様々な出来事を人々に迅速且つ正確に伝える事であろう。一言で言えば簡単な事ではあるが、大変難しい事である。政治、経済、社会全般を中心に、教育、医療、スポーツ、世界情勢等々、カバーすべき領域は大変広い。そしてそれぞれの領域において、専門家と同等に近いレベルの知識を必要とし、そしてそこからの情報を、国民に向けて分かり易く解説する事が仕事であるが、これは大変難しい事であるが、マスメディアの世界に身を置くジャーナリストを目指すならば、探求心がない人がジャーナリストになるべきではないだろう。しっかりと勉強し、調査し、そして一般人にも分かる様に噛み砕いて説明する責任が、マスメディアそしてジャーナリストにある。しかし残念な事に、多くのジャーナリストが情報元となる組織、例えば政府、警察、などの発表をそのまま報道している様である。本来であればその発表された内容が正しい情報かどうか、誤魔化しがないかなどを吟味し、裏を取って評価・分析すべきである。または自ら調査し、発見した事を国民に伝える事が仕事である。しかし現状はそれをしない、またはできない幼稚なジャーナリストが多い様に見える。今のマスメディアは単に権力側を批判するか、または権力側が発表する内容をそのまま報道するだけで、大変幼稚な仕事しかしていないとしか思えない。

本来であれば、大学でジャーナリズムを教える必要があるのだろうが、果たして日本にはその様な大学があるのだろうか。この辺りは詳しくないためネットで検索して調べてみたが、日本大学以外でジャーナリズムを教えている大学はなく、殆どの大学では社会学やメディア関連の学部・学科でジャーナリズムを多少かじる程度の様である。アメリカではジャーナリズムを学べる学校は沢山あり、そして沢山の大学では大学（学生）が新聞を発行している。しかも、その中身は大変充実している。アメリカでは大学スポーツが盛んなので、個別に取材した記事は勿論の事、時事的な事も沢山記載されており、日本の夕刊紙と同じ位のページ数の新聞を発行している。そして発行頻度は毎日発行していたが、今は電子での発信が中心となっているので、紙ベースの新聞の発行は激減している様だ。まだラジオ局を持っている大学も少なくない。因みに筆者が住んでいた町では、高等学校がラジオ局を運営しており、個人的にはこのラジオ局をよく聞いていた。この様に、日本とアメリカとでは、学生が社会に出る時点で既に大きな差が付いていて、学生としてのジャーナリズムの学びのレベルが違うのである。

ここまでアメリカのジャーナリズムの良い面を比較材料として紹介したが、残念ながら今のアメリカのマスメディアも腐っている様である。ただ日本のマスメディアとの違いは、アメリカのマスメディアは彼等の立ち位置を明確にしていて、左翼系なのか、または右翼系なのかを国民は知っている。そしてアメリカは社会全般に自己浄化作用が働く社会である。アメリカ人は今、マスメディアが歪んでいる事に気が付き始め、今年辺り浄化作業が働くのではないかと期待している。

一方日本にも自立しているジャーナリストは少なからずいる。しかし彼らの殆どは昔からあるマスメディアから抜け出し、または一部の人は排除され、細々と本来あるべき報道活動をしているが、この人達が唯一の日本での救いであろう。

第3章　毅然とした態度の欠如

日本人が抱える問題の中で3番目に重要なのが、信念に基づく〝毅然とした態度〟を取れない事であろう。明らかに正しい主張をしているにも拘らず、それに対する異論や反論が出ると、自分の主張を言わなくなったりする。そして異論や反論というよりは言いがかりに近い言葉や、明らかに間違った事を言われても、自分の主張を引っ込める事がある。また態度を明確にせず曖昧であり、時には相手に迎合する様な態度を取る事も多い。この様に、自分に自信がないのか、毅然とした態度が取れない人が大変多い。近隣諸国や低次元なマスコミの質問に対する政治家の言動が正にこれであろう。

毅然とした態度は時にして傲慢な態度と似ている感もあるが、毅然とした態度には、傲慢にある我儘はない。但し、時には傲慢さがにじみ出た毅然とした態度も必要であろう。

余談だが、アメリカの下院議長を決める選挙において、15回目の投票で漸く下院議長が決まった。共和党から多数票を得ていたのがケビン・マッカーシー議員なのだが、一部の共和党議員がマッカーシー議員を信用しない、または考えている政策が不十分であるといった理由で、マッカーシー議員への投票を拒んでいた。そして15回目で漸く選ばれた後のスピーチでは、「I never give up（絶対に諦めない）」と語っていた。自分が議長となってリーダーシップを取るべきとの信念に基づき、堂々としたスピーチであった。日本的な感覚では、15回も投票させた事から混乱を招いたとのお詫びを言うであろう。または立候補を取り下げる事も考えられる。しかし、マッカーシー議員の態度は日本の文化には合わないが、見習うべき点も多いのではないだろうか。

また江戸時代までの武士も、全員ではないが毅然とした態度を取れていたのではないだろうか。「斬り捨て御免」は無礼を働く人に対する一種の毅然とした態度とも云える。取り方によっては単なる我儘・横暴、またはパワハラとも云えるが、武士は社会に対する一種の義務（昔は戦士として）を負わされており、義務を全うできない時や間違った事をした場合には切腹という形で責任を取っていた。

それでこの後、毅然とした態度を取れていないという事を、次のシーンで考えていきたい。

- 子育て
- 隣国とのやり取り
- 政府（または自民党）と野党&マスメディアの関係

・ネットでの誹謗中傷

1　子育て

毅然とした態度を取れない最たる例が、子供の我儘に対する親の対応である。その典型的な例が、スーパーやデパート、またはショッピングセンターなどでの公共の場における子供の我儘に対する親の態度・行動であろう。

子供が自分の欲しい物を得たいがために大声を出したり、泣き叫んでいる光景がよく見られる。その様な場合、その場をしのぐために子供が欲している物を買い与えている親は少なくない。本来であれば、親は子供が泣き叫ぶのを止めるまで待つか、その場を立ち去り家に帰るなどの行動を取るべきであるが、それができない親が誠に多い。そしてその周りの大人もその様な光景を我慢できず、イライラしたり、その愚図っている子供の親に〝何とかしろ〟という様な目線を送っている。そして愚図る事で成功した子供は、自分の親を自分の言いなりにできる事を学び、そしてその様な場所では親が怒ったりするなどの危害を加える事がない人間だと学習している。その結果、この様な幼少期を経験した大人は、相手が自分に危害を加える可能性が低い状況下では、極端に我儘に振舞ってしまっているのではないだろうか。

この点において、欧米の先進国では全く違う。そもそも、スーパーやデパート、またはショッピングセンターなどで愚図っている子供を見る事は殆どない。欧米諸国での子供の教育方針として、子供が欲しい物を得るために愚図り始めても、親はそれを無視する。そして無視を続ける事で、その子供は愚図っても効果がない事を学び、愚図らなくなってくる。これは欧米諸国で生活した事がある人の殆どは気が付いている事である。その代わり、クリスマスなどの特別な日に、親は子供が欲しい玩具などのプレゼントをする。そしてある程度の年齢になった子供は親にプレゼントをする事で、Give and Take の関係もちゃんと教育しているのである。

欧米の先進国では、この様にして子供に社会性を学ばせている。日本人独特の社会性の低さ、そして毅然とした態度が取れない原因がここにあり、凝縮されていると言っても過言ではないだろう。そして後に記載する様々な社会的な問題を引き起こしているのではないだろうか。

日本人は一般的には我儘ではなく、我慢強い人間だと云われている。２０１１年の東日本大震災後の日本人の行動は正にそれであり、略奪などを殆どせずに、我慢強く支援を待つ姿は海外からも絶賛されており、誇るべき事である。しかし、それはその個人が属する組織や社会の中での振舞いであって、その人（個人）が属する組織や社会以外となると、極端に我儘になり、理不尽な発言や行動を取ってしまう傾向にある様に感じている。個人が属する組織や社会の中では行儀が良い理由は、家庭内や学校教育、そして社会全般の雰囲気などで教えられているからであろう。また日本の社会では協調性が重視され、人と違った行動や発言はあまり好まれないし、時には排除されてしまう。そのため、知っている相手に対しては誠に遠慮深く、行儀が良いのであり、何等かの利害関係のある会社や学校などの組織内では勿論の事、お互いを知っている社会の中では大変お行儀が良い。

しかしそれ以外の相手に対しては、タガが外れた様に自由奔放な発言や行動を行う傾向にある様に見える。知らない相手や利害関係の全くない相手、そして目に見えない相手の場合、自分の本性を曝け出し、時には暴言や過激な行動に走ってしまう事もある。そしてネット上での誹謗中傷や、企業のサポートデスクに対するクレーマー、政治家に対するマスメディアの言いたい放題など、目に余る発言や行動は残念ながら沢山ある。親が自分に対して危害を及ぼさない事と同様に、政治家は自分に反論してこないし物理的な反撃もしてこない。そしてネット上のSNSなども同様に、物理的な反撃はしてこない。学校や社会での〝イジメ〟は正にこれであろう。

この様な行動は、子供が親に対して愚図る行動と大変似ているのではないだろうか。家の中では厳しいが、外では甘い親の弱みに付け込んでいるのと同じで、甘えて良い相手、または我儘を言っても良いと思った相手には、トコトン甘え利用し、そして自分の要求が通じない場合は愚図り倒す、即ち誹謗中傷を繰り返すのである。危害を及ぼさない、または利害関係のない相手に対しては…。

ここまで愚図る子供の事を批判的に書いてきたが、一番の問題はその親である。スーパーやデパート、またはショッピングセンターなどでの公共の場で愚図っている子供をしっかりと躾けなかった大人が悪いのであって、子供は捉え方によっては被害者である。愚図る事は効果がない事を子供に教える必要があるのだが、毅然とした態度が取れない大人がそれを許してしまった事に問題があり、その結果愚図ったら得をすると学習した子供を育て、世の中に送り出してしまったのである。

愚図る子供には明確に〝Ｎｏ〟と言わなければならない。そして相手にしない事が大事である。優しい日本人の親は、周りに迷惑が掛からないかと気になり、その場を凌ぐために、子供の愚図りに負けてしまっている。子供も賢いモノで、公共の場で愚図れば自分の望む物が手に入ると学習する。この悪い習慣の延長線上にある事が今の社会でも起こっている。だから、この悪い習慣は是非とも断ち切りたい。

また度が過ぎた暴言や言いがかり、そして誹謗中傷に対しては毅然とした態度を取る必要があるが、それができない大人（社会人）が残念ながら多すぎる。相手に嫌われたくない、良く思われたい、または争いごとを避けたい気持ちが働くのか、相手にまともな反論もせず、何とかその場を取りつくろうとする行動が目立つ。正に、子供の愚図りに対して物を与える行動と似ている。

それで、この問題に対する処方箋を一つだけ提示したい。

処方箋⑮　これから子供を持つ親に対して、子育てのノウハウを教える研修会・勉強会を実施する

別の章でも述べる子供に対する手当を支給する前提として、躾け方も含めた子供の育て方に関する勉強会・講習会を設置する。自分が子供の頃に受けていない教育を自分の子供に施す事は決して簡単な事ではない。そのため、子育ての専門家が当面それを指南する必要があるだろう。そしてこの教育が2、3世代と続く事で、外部の教育期間は不要になってくる事を願いたい。

2　隣国とのやり取り

世界中の殆どの国では隣国と何等かのトラブルを抱えており、隣国同士の仲は決して良くはない。そして表向きは良い関係であっても、影では悪口を言っている場合が多い。隣国であっても文化の違いはあるし、お互いに少なくとも一度は戦争をしており、歴史に対する認識も違う。そして殆どの場合、話す言語が違う。これは我々の一般生活でも同じで、隣人とは仲良くできないケースは沢山ある。

例えばヨーロッパでは、イギリス、フランス、そしてドイツが長年覇権争いをしている。流石に2度の大きな戦争を経た事で表立った大きな争いはもう行う事はないだろうが、心から信頼し合っている関係からはまだ程遠い。またアメリカとカナダの関係も、他の隣国と比べると各段に良い関係ではあるが、カナダ人に取ってアメリカは決して仲良くしたい相手ではない。

日本の場合はかなりややこしい隣国に囲まれていて、世界の中で一番悪い環境に置かれていると言っても過言ではない。これらの隣国からのクレーム、言いがかり、誹謗中傷、プロパガンダ、等々は尋常ではなく、挙句の果てに、不法侵入を繰り返され、ミサイルを撃ち込まれている。可能であれば引っ越ししたい程である。

これらの国々の言い分は子供が愚図っているとの同じで、その愚図りに我が国が屈している状況が続いている。隣国がこの様な理不尽な発言や行動を繰り返すのは、先の大戦の所為もあって日本が下手に出ている事も影響しているのだが、そのため日本は何をされても〝遺憾砲〟を言うだけで、何も行わない。また基本的に日本は協調の国なので、クレームや言いがかりには大変弱く、その対処方法を学んでいない事や、「もしかしたら、自分が悪いのかな?」と感じてしまっている事などから何もできないのだろう。そして東アジアの隣国からは、なかった事をあったとして繰り返し非難され続けられている。具体的な内容はここでは記載しないが、嘘を垂れ流すために博物館まで作って宣伝している国もあり、国を挙げて、プロパガンダ活動を行っている訳である。そして事もあろうに一部の日本の学校では、修学旅行でその博物館に生徒を連れて行っているという。

この問題点に対処するためには、先ずは前の章でも述べている〝理念〟や〝哲学〟を持つ必要がある。そしてこの理念や哲学に基づく考えを支える次の三つの事を学び、知る事が必要である。そしてその結果、お互いを非難し合う様な関係から卒業し、〝毅然とした態度〟を取る事で、良好な近隣関係を築いてほしいと願っている。

⑯歴史を学ぶ
⑰文化や国民性を学ぶ
⑱事実を積み上げる

処方箋⑯ 歴史を学ぶ

この様なややこしい隣国を相手にするためには、先ずは歴史を知る事が大事である。それは日本と隣国との関係の歴史だけでなく、隣国の歴史も知る必要がある。但し、ここで述べたい学ぶべき歴史は学校教育では教えてくれないだろう。残念ながら独学で学ぶしかない。それから日本の学校では近代史は殆ど教えないし、また正しい近代史を教えない。何故なら、国家として近代史を分析し、評価・検証していないため、学校教育では教える事ができないからであろう。

歴史に関して具体的な話を少しして見よう。東アジアの大陸の歴史は、虐殺と歴史の書き換えの繰り返しである様だ。数百年ごとに新しい王朝が勃興し、その度に前王朝に関係する人を虐殺している。そして新しい王朝の正当性を訴えるために、前王朝の歴史を否定する必要があり、その都度歴史を脚色して書き換えていると云われている。そのため歴史には嘘やプロパガンダが大変多く、何が本当で何が嘘かを見極めるのが大変である。

ある時、中国人の同僚と中国料理の話をしていたのだが、代表的な中国料理の一つである四川料理の話をし始めたら、その中国人は、「昔、四川に住んでいた人達はほぼ全員虐殺され、今四川に住んでいる人達は、元々四川に住んでいた人ではないよ」と教えてくれた。帰宅後にＷｉｋｉｐｅｄｉａで確認すると、確かに明末期に３１０万人程いた四川人の殆どが虐殺され、残ったのは1・8万人程との記載があった。中国では過去に幾度となく大虐殺を行っていた事は知っていたが、具体的な史実を確認していなかったので若干衝撃的であった。因みに、欧米の歴史では流石に数百万人もの自国民の虐殺は聞いた事はないが、敵国の住民を殺略する事は当たり前に行われ、時には自国に連れて帰り、奴隷にするなどを行っていた。アメリカの奴隷制度は有名ではあるが、戦国時代にザビエルが日本に来た後、日本人がヨーロッパで奴隷として売り渡されていた事はあまり知られていない。

処方箋⑰ 文化や国民性を学ぶ

歴史を知ると同時に、隣国の文化や国民性も知る必要がある。自分を知り、相手を知る事なしに、適切な対処はできない。

文化の違いに関しての余談を一つ述べたい。日本では敵国の兵士（侍）を虐殺する事は殆どなく、場合によっては敵の侍を自分の家来として招き入れる場合もあった。この様な振舞いは海外とは全く違うのだが、この違いはチェスと将棋との違いと同じである。チェスでは敵を取れば（殺す）それで終わりであるが、将棋では敵を殺すのではなく、自分のモノになり、自分の駒として使えるのである。他のルールは殆ど同じであるが、この点のみが大きく違い、文化の違いを如実に表している。

処方箋⑱ 事実を積み上げる

そして最後は事実を積み上げる事で、相手の言いがかりを抑える事ができるであろう。

例えば、最近揉めている産業革命遺産に登録された端島（軍艦島）に関する事実を積み上げてみたい。
この問題を簡単に言うと、朝鮮半島の工員が強制的に連行され、劣悪な環境で強制的に労働させせられ、しかも賃金しか支給されなかったと主張している事である。しかも最近は、何百人もの人が殺されたと主張し始めている様である。

主な論点は三つであろう。

㋐応募工か強制連行か
戦争末期になって、日本人の労働者が足りなくなってきた事から、朝鮮半島に住んでいる人達への工員の募集が行われた。そして俗に云う〃従軍慰安婦〃同様に、強制的に連れてこられたという事実は何処にもない。因みに、朝日新聞は従軍慰安婦の記事は捏造であったという事を２０１４年に発表している。

㋑賃金や待遇に公平性があったかどうか
朝鮮半島から来た労働者の賃金は相対的に安かった様である。但し、それは熟練者と新入社員との賃金が違う事と同じで、朝鮮半島から来た労働者は新入社員だったので、それに見合った賃金であった。

㋒ 劣悪な労働環境だったかどうか

端島の炭鉱は最先端の技術で掘られており、炭鉱の中では良い労働環境だったと云われている。九州北部にある一部の炭鉱ではかがむ必要がある様な所もあったらしいが、端島ではそうではなかったらしい。この指摘を解決する手段は実際の炭鉱跡地の掘削現場に入って動画を取る事であろう。但し、まだ入れるのであればだが…。

その後、佐渡金山を世界文化遺産に登録しようとしていたが、毅然とした態度を取る事ができない岸田首相は、隣国のクレームに屈し、登録を延期していた事は残念でならない。登録できた／できなかったという事以前に、毅然とした態度を取れない政治家及び役人に憤りを感じてならない。

3　政府（または自民党）と野党＆マスメディアとの関係

今の政府とマスメディアの関係は、全く健全ではないと言いたい。政府または政治家の方針や発言を正確に国民に伝える事がマスメディアの仕事であるが、マスメディアのレベルの低さからか、正確に国民に伝えていない事が大変多い。そして難しい話であってもそれを噛み砕いて分かり易く国民に伝える仕事をしていないのである。また一部には確信犯の様にワザと内容を捻じ曲げて伝える事もあり、国民の知る権利を奪っている。

この様なマスメディアの問題が表出してきた理由は、ネットなどで様々な情報が取れる様になってきた事がある。様々な人がＹｏｕＴｕｂｅやニコニコ動画などの媒体を通じて時事的な情報を発信しており、その結果として昔から存在しているマスメディアの嘘や間違いがバレ始めている。その結果、ネットから情報を入手する人と、ＴＶや新聞のみを情報源としている人とは様々は社会情勢の認識・理解レベルが全く違う様になってきた。

また一方では政府や政治家が国民を騙す様な発表も残念ながら時々見かける。その場合、マスメディアがそれを指摘し、政府を是正及び軌道修正を促す役割をマスメディアが担っているが、それも殆どできていない。時にはマスメディアがその利害関係に含まれていて、政府に同調する場合もある様だ。そのため、心ある国民はネットなどを活用して正しい情報を得ようとしているが、この問題についてはこれ以上の深入りは止めておこう。

ここでは政府側の説明について、間違った報道をするマスメディアに対する処方箋（解決策）を中心に考えていきたい。問題点はマスメディア側の勉強不足と、偏向報道をするマスメディア側にあるのだが、事例を交えて考えていきたい。

処方箋⑲論点を整理して、事実を一つずつ積み重ねて理解状況を確認する（前項の⑱と類似）

㋐事例1：物価上昇と円安、為替介入、政策金利

ウクライナでの戦争が始まってから円が段々安くなってきて、2022年の9月以降に一時期150円近くまで下がった。そのため輸入品の価格が上がり、物価上昇の要因の一つとなっている。これによってマスメディアが騒ぎ出し、日銀総裁の会見において円買いを何故行わないのかを問っていたが、日銀総裁の回答は、「為替介入の責任は財務省であって、日銀はその権限を持っていない。個人的な意見として為替介入をしても、円安是正の効果は低い。そして円だけが安いのではなく、ドルだけが高くなって、他の通貨が総じて安くなっている」と回答していた。また、物価高対策として（実際には物価高との表現は適切ではないとの事だが…）政策金利を何故上げないのかとの質問に対しては、「賃金の上昇を伴う形で物価目標の2％を安定的に維持できるまで、金融緩和を続ける…」などと言っていて、金融引締めは時期尚早との判断であった。但し、2022年の年末に、黒田総裁は財務省からの圧力に負けたのか、実質的な利上げ（正確には変動幅の拡大）を実施した事で、円が多少高くなった。

これを論ずる際に次の四つを整理すれば、答えは自ずと出てくる。それは「物価上昇の

理由と他国との比較」、「円安によるメリットとデメリットの整理」、「為替介入する必要性と効果は」そして「政策金利を上げる必要は」であろう。これらの情報は日々変わってくるので、あくまで２０２２年夏頃の状態を基にしている。

i　物価上昇の理由と他国との比較

ドルが高騰している理由は、米国の物価上昇が激しく（8～9％）、金融引締めを行っているためである。そしてドルが高騰しているため、他の通貨は軒並み安くなっている。また物価の高騰は他の先進国でも同様に起こっているが、その理由は消費量の増加と供給量の減少によるためである。しかし日本での需要はまだまだ弱く、受給ギャップがマイナス15兆円とも27兆円とも云われている。そのため、物価の上昇が他国より低い。

ii　円安によるメリットとデメリットの整理

デメリットそして円安になる事で当然輸入品は高くなるが、メリットとして輸出し易くなり、製造業、そしてGDPの観点でも良い事であり、製造業が全般的に利益を上げ易くなる。その結果、従業員の給料も上げ易くなる。政策としてはガソリン価格の抑制のために取った様な財政出動を、食品などの輸入品にも適用する事が適切である。

iii　為替介入する必要性と効果は

為替介入をしても一時的な効果しかなく、すぐに介入前に戻ってしまうと云われている。そして変動相場制下では外貨を持つ必要性は殆どなく、日本程外貨を持っている国はないとも云われている。そのため、円安を是正する目的でのドル売りは必要なく、前出の財政出動するための原資として、外為特会に持っているドルを売る事で利益を得る事が一番賢いやり方である。

iv　政策金利を上げる必要は

既に述べたこれらの理由から、政策金利を上げる必要はない。但し、政策金利を低くしても、物価は上がらない事については第一章で説明した。

この様に、論点を整理すれば答えは明白である。そしてもしこれが理解できなければ、政府（この場合は日銀）主催で勉強会を行えば良いだろう。

㋑森友・加計問題

俗に云うモリカケ問題は、火のない所に煙を立たせている〝問題（?）〟なのだが、安倍憎しの野党とマスメディアがタッグを組んで、論点のすり替えを繰り返しながら、ぐるぐると同じ事を非難している。それでここでは俗に云う加計学園問題について深掘りしていきたい。

これは、「文部科学省は長年獣医学部の新設を認めなかったが、２０１７年（平成29年）、安倍内閣によって国家戦略特別区域に指定された今治市で、岡山理科大学により獣医学部が新設される事になった。この時、この今治市ありきで獣医学部の新設が進められたのではないかという疑惑が持たれ、関係者の調査が行われた」とＷｉｋｉｐｅｄｉａでは記載されている。非難をしている人達の大まかな内容を要約すると、加計学園の理事長と安倍元首相が学生時代からの友達だった事から、安倍元首相の政治的圧力から大学の開設を認可したといった内容の様である。

この問題について毅然とした態度を取るためには、やはり理詰めでいくしかないだろう。論点は三つで、「獣医学部の必要性」と「設置する際の立地」、そして敢えて考えるとしたら「決定の際に安倍元首相の圧力が必要であったか」であろう。

ｉ　獣医学部の必要性

１９６６年以降、獣医学部の新設が認められていない。その理由は獣医学部が必要十分であるとの事で、確かに動物病院は1・2万施設以上あり、動物病院は過剰状態であると云われている。しかし、畜産の面倒を見る獣医が不足している事が問題であり、最近発生している狂牛病や鳥インフルエンザなどに対応できる獣医が求められており、その方面の獣医を育てるための大学が必要であった。

ii　設置する際の立地

獣医が必要であるため、都会ではなく地方が望ましい。そして中部以西には私立の獣医学部を持つ大学が一つもなく、さらに四国には国公立も含めて獣医学部は一校もなかった。それで、四国に作る事による弊害は全くないと言っても過言ではないだろう。

iii　決定の際に安倍元首相の圧力が必要であったか

今治市は２００７年から15回にわたって構造改革特区を利用した獣医学部の新設を求めていた。一方京都産業大学はギリギリに申請している。因みにネットなどで得られる情報では、増えすぎた動物病院の関係者が文科省と結託して獣医学部の新設を止めていた。それで国家戦略特別区域を設定した事で文科省の権限を弱め、漸く新設する事ができた様である。

余談だが、文科省は、これ以外に例の宗教団体関連での不適切な対応も含め、存在価値が低い省庁と言われている。しかし、もし万が一自分が国家公務員になったとしたら、経産省、農林水産省、厚生労働省、または文科省で仕事をしたいと感じている。その理由はこれらの省庁に関連する領域の問題が山積みされているからで、コンサルとしては腕がなる分野であるからだ。一方財務省は本来、減税以外は何もしない方が良い省庁なので、そこには全く興味が湧かない。

4　ネット上での誹謗中傷

ネット上での誹謗中傷も目に余るモノがある。我々日本人はお互いの顔が見えている状態やお互いの素性が分かっている時は大変大人しいのだが、顔が見えない相手や自分の素性が相手には分からない状態、または利害関係が全くない相手に対しては、相手を罵倒する位の勢いで相手を誹謗中傷する事が多い。普段のストレスを発散しているのか、この誹謗中傷はエスカレートしており、醜さを露呈している。そして最近では誹謗中傷による自殺者も出る程である。

我々日本人は、意見が違う、または合わない相手とは人付き合いができない性質を持っている。子供の頃から協調する事は教えられているが、相手を尊重する事を教えられていないためか、意見が違う相手とは、仲良くできない傾向にある。協調するために自分の感情を抑える事を学んでいるのだが、〝協調〟しないとなると、自分の感情を爆発させてしまい、攻撃的になってしまう。そして場合によっては相手の人格まで否定する事も多々ある。また相手と同じグループにいて、相手の顔が見える場合は〝協調〟するのだが、相手の顔が見えない場合や、違うグループに属している場合には、極端に攻撃的になってしまうのである。違う意見を言う人は日本にも沢山いるのだが、その様な人とは歩み寄る努力はあまりせずに、〝変わった奴だ〟として村八分にされる事が多いのではないだろうか。

因みに欧米諸国、特にアメリカでは安易に協調してくる相手とは信頼関係を作れないと考えている。違う意見を交わし、議論すると同時に相手を尊重する事ができる人間とは信頼関係を築ける。日本とは真逆である。

この問題を解決する手段の一つとして、ＳＮＳなどにおける匿名性の排除などが考えられているが、これだと根本的な解決にはならない。この様な場合にも毅然とした態度を取れる様になるには、先ずは第一章で述べた〝自立〟する事なのだが、それ以外に次に記載している事を行う事で、醸成できるであろう。

処方箋⑳ 学校教育の中で時には協調する必要がない事と、相手を尊重する事を教える

子供の頃から、〝協調〟しない事と、相手を〝尊重〟する事を学ぶ事で、改善できるのではないだろうか。今まで学校教育では〝協調〟する事が求められ、〝協調力・協調性〟

が低いと確実に通信簿に書かれる。そして殆どの親はこれを見ると、子供に対して協調する事の大事さを説教し、または嘆いているのではないだろうか。

それでこれからの学校では、中学校または高校辺りでカリキュラムとして、〝協調する事〟の大事さと同様に、時には〝協調しない事〟の大事さも教えるべきである。そして〝協調しない事〟と〝相手を尊重する〟事も同時に教える必要がある。意見が違う相手とは、あくまで意見が違うだけであって、違う意見を持つ相手も尊重し、尊敬する事を教える。これが大変大事である。

5　毅然とした態度が取れない事による弊害の例

この毅然とした態度が取れない事の弊害が、社会の至る所で発生している。それでその例を幾つか述べたい。

㋐隣国人の軽犯罪

私自身の出身は日本海に面した町なのだが、何時の頃からか隣国の貨物船が入港する様になってきた。港は町の中心部から遠いのだが、彼等はタクシーなどを使って町まで出るのではなく、徒歩で歩いていくのであるが、その道中で自転車を見つけるとその自転車を盗み、町まで行くのである。そして彼等が自転車の盗難を警察に咎められた時の言い訳が、「道端に捨ててあったと思ったから」である。そして警察は、「二度としない様に」と言って釈放している。

昔の田舎は家に鍵を掛ける事も少なく、自転車に鍵を掛ける事などしていない時代である。そして自宅前に無造作に自転車を置いている事もある時代である。そもそも、船員が日本の自転車を持っている事自体があり得ない時代である。そうであれば、警察は再発防止の意味も込めて、自転車を盗んだ船員に何等かのペナルティーを課すべきであった。

㋑韓国主催の観艦式での旭日旗掲揚

何年か前に、韓国にて海軍の観艦式が開催された時の事である。韓国が日本の海軍旗である旭日旗を掲揚して欲しくないがために、各国に海軍旗を掲揚しない様にとの連絡を入れた。その際、日本は旭日旗を掲揚して入港できないのであれば、観艦式に参加する事はできないと決めた。この判断は大変愚かであり、本来すべき事は韓国からの申し入れを無視して、旭日旗を掲揚したままで観艦式に参加する事であった。

因みに欧米諸国は海軍旗を掲揚したままで観艦式に参加している。これは一般常識レベルの〝毅然とした態度〟なのだが、日本はこの一般常識レベルの事であっても毅然とした態度を取れないのである。但し、これは毅然とした態度云々よりは、当時の防衛大臣の理念や哲学に問題があった所為とも考えられるが…。

第４章　少子化問題

１　少子化の現状

社会で起こっている課題として、出生数の急激な減少がホットな話題になっている。２０１６年に１００万人を割り、２０２２年は80万人を大幅に下回ってしまった。これはコロナ禍における一時的な現象だと思いたいが、減少傾向にある事には変わりはない。現在の人口を維持するためには毎年１１０万人以上の出生数が必要なのだが、近年はこの必要数を大幅に下回っている。但し、人口が減る事は必ずしも悪い事ばかりではなく、個人的には今の日本の人口は多すぎると感じている。しかし急激な減少は社会に歪を生むため、仮に人口減少が〝必ずしも悪い事ばかりではない〟としても、緩やかな人口減少に留める必要がある。実際、移民を除いて人口が増加している先進国はほぼない状況であり、人口の減少は先進国の宿命ともいえる。

現在の日本の人口だが、総務省統計局の情報では、

・2022年（令和4年）11月1日現在（概算値）：1億2485万人
・2022年（令和4年）6月1日現在（確定値）：1億2510万4千人
・2022年（令和4年）6月1日現在（確定値）での日本人人口：1億2227万2千人

となっている。

余談だが、この情報から次の2点を注意する必要がある事に気が付くであろう。

・11月の概算がほぼ正確だと仮定すると、6月確定値の1億2510万から5ヵ月で25万人減少している事になる。
・人口統計には日本人以外も含まれ、日本人以外の200万人以上が、人口統計に含まれている。即ち、日本の人口と日本人の人口とは違う事を認識する必要がある。

本題に入る前に、過去の出生数や平均寿命などについて少し話したい。因みに、〝年次

統計〟というサイトのデータによると、出生数は、明治時代の１９００年頃から１５０万を超え、１９２０年から１９４５年までの期間で出生数が２００万人を超えた年が19年あった。その間、死亡者数も１００万人を大きく超えていたので、毎年の人口増加が１００万人を超える事は殆どなかった。しかし戦後の出生数は、団塊世代及び団塊ジュニア時代の10年以外は２００万をかなり下回っていたのに、人口の増加数が１００万人を優に超えた年が１９７８年までの33年間に24年もあり、２００万人を超えた年も３回あった。その理由は平均寿命の劇的な向上であり、昭和後半の37年間の死亡者数は60～70万人台を推移していた。

因みに明治後期から戦前の平均寿命は45歳以下で推移していたが、戦後急激に上昇した。１９５０年前後には男女共に60歳を超え、１９６０年頃には女性の平均寿命は70歳を超え、１９８０年初頭には80歳を超えている。一方男性は、女性より10年遅れて１９８０年頃に70歳を超え、30年遅れの２０１０年頃に80歳を超えている。

仮に毎年１００万人が生まれ人生50年だとすると、単純に考えると人口は５０００万人になる。そしてもし人生が80年だとすると、人口は８０００万人になる。団塊世代以外の出生数は戦前より少ない事から、戦後の人口の劇的な増加は正に、平均寿命の伸びである。この場合の社会的課題は、引退した高齢者の増加である。人生50年の時はほぼ50歳まで仕事をしていたと思われ、引退していた人口はかなり少なかったであろう。それで今の社会の課題は、高齢者にどの様な人生・生活を送ってもらうかを考える事であるが、これについての処方箋の一つを第1章に記載している。

2　少子化の原因と処方箋

出生数が減り、人口が減る事は必ずしも悪い事ばかりではないが、現在の急激な人口減少は、社会に歪みを生んでしまう。そのため、今の人口減少のペースは改善すべきである。それで、人口が減り続けている原因・問題点を共有し、それぞれの解決策（処方箋）を考えていきたい。

㉑住宅の大きさの改善
㉒教育費の政府保障
㉓児童手当（ベーシックインカム）の拡充
㉔幼児保育の改革
㉕学童保育の改革
㉖産休中の収入保障と出産後の社会復帰（働き方改革）の支援・改革
㉗経済を良くする

㉘家庭の良さと子育ての楽しさの醸造
㉙男性の家事参加

処方箋㉑ 住宅の大きさの改善

日本の都市部の住宅は、昔から小さかった。戦後であっても、３世帯や4世帯で暮らす家も多く、また子沢山の家庭も少なくなかった。昭和の高度成長期に入り、大規模の集合住宅が増え始めたが、その住宅の大きさは50㎡未満の２ＤＫや３ＤＫが中心だったと記憶しているが、今から思えば大変狭かった。そして現代のマンションは３ＬＤＫの広さが中心になっている。一時期、４ＬＤＫや１００㎡前後の大きめのマンションが出てきたが、最近は少子化の影響か、または手頃な価格帯を目指してか４ＬＤＫは少なくなり、それ程広くはない３ＬＤＫが中心になってきている様である。この３ＬＤＫのマンションに住む場合、一部屋は夫婦の寝室になり、一部屋は子供部屋、そして残りの部屋は半分物置の様に使っている家庭が多い。そのため、３ＬＤＫに住む家族は子供を一人しか持たないケースが多いのではないだろうか。多くても精々2人までであろう。また建売住宅の場合は４ＬＤＫが中心であるが、都心では３ＬＤＫが多い様である。４ＬＤＫの住宅だと余裕で子供を2人持てるが、一軒家といえども３ＬＤＫだと2人目を持つには狭い。

それで処方箋は至って単純で、家族用の住宅を広くする事である。それを推奨するために、広さによる税制の優遇処置を施したりする事で、インセンティブが働くだろう。そして一番大事な事として、総理大臣や少子化担当大臣辺りが住宅の広さの問題点を公の場で訴える事である。その発言をマスコミが取り上げ、その気運を醸成する事が大変重要である。但し注意しなければならない事として、今は住宅が余っているという事である。宅地を新たに造成するのではなく、既存の建て替えやリノベーションを中心に行うべきであろう。

処方箋㉒ 教育費の政府保障

教育費の高さは子供を複数人持つ事を躊躇する大きな要因になっているのは周知の事であろう。少子化の原因の一つがこの膨大な教育費の負担であり、この不安をなくさない限り、不安症な日本人が子供を沢山持つ事は難しい。

〝年次統計〟というサイトの情報を見ると、ここ30年程サラリーマンの収入が増えていない中、大学の授業料はほぼ倍増している事が把握できる。１９６５年頃の国立大学の授業料は1・2万円で、私立大学の平均（文科系）は5・2万円であったが、１９７０年過ぎから授業料は急激に上昇し始め、現在は国立大学で約54万円、そして私立大学では約80万円で、国立は45倍、私立は15倍程に高騰している。教育は将来への投資であるはずなのに、残念ながら国家がその投資をしなくなっているのである。

これをサラリーマンの平均収入と比較すると、１９６５年頃は国立大学の授業料はサラリーマンの平均収入の約45万円に対して２・６％程度で、私立大学でも11％程度であった。それが団塊世代前後の１９７１年には平均収入が約１００万円に増加した事で、国立は約１・２％（授業料は１・２万円）及び私立が約８％（７・４万円）と一旦下がった。しかしその後は授業料が高騰した事で、１９９０年頃にはそれぞれ７・７％と10・７％（授業料はそれぞれ約34万円と約47万円）、そして現在はそれぞれ12％と18％程度に上昇している（授業料はそれぞれ約54万円と約80万円）。因みに、私立の理系の授業料の平均は約１１０万円で、年収比では約25％である。それから、１９９０年以降の平均収入は凡そ４００万円台でほぼ横ばいである事は周知の通りであろう。

団塊世代前後までは、親は苦労してでも子供達を大学に通わせる事を考えていたが、現代は進学率が高まった事もあり、親は複数の子供を大学に通わせる事を躊躇せざるを得ない状況になってしまっている。その原因の一つは収入に比べた授業料の高騰であろう。そのため、将来の教育費を考えた場合、子供は１人、多くて２人が限界だと考えているのではないだろうか。

因みに、〝統計情報リサーチ〟の情報では、１９５０年の国公立大学の在学生が９万人で、私立は13万人だったのだが、１９７０年頃はそれぞれ30万人と１００万人程度に増えた。そして２０２１年にはそれぞれ６・３倍の57万人と、15倍以上の２０５万人になっている。これが意味する事は、明らかに国公立の大学の増え方が少ないという事である。

また大都市圏に住む親に取っては、子供を国立大学に入れる事はほぼ諦めざるを得ない。東京には東京大学や東京工業大学などの偏差値の高い大学が多く、東京都の人口と比較においても国公立大学の定員の絶対数が少ない。そして全国から東京に若者が集まってくる事から、東京近辺に住む高校生の多くは国立大学に行く事を諦めている。そのため、都内に沢山ある有名私立大学に行く事を目指す事になり、高校または中学からそれら私立大学の付属高校に進学させている家庭も大変多く、全く不公平な話である。そのため、教育費の負担はかなり高額になっている。

この様に将来の教育費を考えると、沢山の子供を持つ事を躊躇する事はごく自然な成り行きであり、仕方がない事であろう。しかし、この様な状況が作り出されたのは政府が無策だったためである。

この問題を解決する詳細な処方箋は色々考えられるが、ここでは次の二つについて深掘りしていきたい。

Ⓐ学費を安くする、または無償にする
Ⓑ国公立大学を増やす

Ⓐ学費を安くする、または無償にする

日本の国家予算の中で、教育機関への公的支出の割合は先進国の中で最低レベルであり、ＯＥＣＤ平均の半分程度で、比較可能な先進国の中では下から２番目である。授業料だけを比較した場合、授業料が日本より高い国はごく一部である。一人当たりのＧＤＰが二流国以下になり下がった今の日本では、収入との比較において、高い授業料を払っている事になる。また、ドイツやフランスなどの様に、高等教育の授業料がほぼ無償となっている国家も少なくない。この事から授業料を低減、または無償化する事は考慮すべき政策である。それで国家予算に占める教育への支出は少なくとも倍増させ、高等教育の授業料を大幅に削減すべきである。少なくとも30年前の水準、できれば50年前の水準に戻し、国立大学は平均年収の１〜５％程度、私立でも10％程度以内に抑えてほしい。そして可能であれば無償化に近づけてほしい。そうすれば、将来の教育費の負担が子供を作らない理由からなくなるであろう。

学費の負担が高いのは、大学だけでなく私立の高等学校も同じである。大学同様に、日本では私立の高校が多く、当然その授業料は高い。現在、日本の中学卒業者のほぼ全員が高校に入学しており、義務教育化している。そうであれば、本来は希望する生徒全員を公立の高校に入学させるべきである。しかし、既に多くの私立高校が存在している状況では公立高校の定員を増やすのではなく、それらの授業料を国が補填する事で対応する事が望まれる。幸い、近年は高等学校の授業料を地方自治体が補填する動きが出ているが、所得

制限などがある上に、補填金額はまだまだ不十分である。

Ⓑ国公立大学を増やす

日本の高等教育の教育費の問題は、国公立大学が少なく、私立大学が多い事に問題がある。海外との比較においてもアメリカでは7割以上、ドイツでは9割以上、イギリスやフランスは殆どが国公立大学である。日本は高等教育への財政支出が少ない事もあり、国公立大学の数が極端に少ない。それで日本では、絶対的に少ない国公立大学を増やし、授業料の比較的安価な大学を国民に提供する必要がある。

この場合、考慮すべき点として学生の都会志向にどう対応するかである。元々、対人口比では東京などの大都市圏の国立大学の数と定員が少ないのだが、学生の都会志向もあって、大都市に住む学生に取って、国公立大学は狭き門になっている。実際、人口が少ない一部の県では、大学進学希望者数以上の定員数をその県の国公立大学で確保している。一方東京などの大都市圏では、進学希望者に対して国公立大学の定員は10%にも達していない。これは至って不公平である。

足りない国公立大学を増やすために、沢山ありすぎる私立大学を国公立大学に変える事で対応するのが良かろう。その場合は主に公立大学となるだろうが、特に都会の少なすぎる公立大学を増やすために、新たな学校を設立するのではなく、必要以上に増えた私立大学を転用するのが得策だと云える。また都会志向による都会集中の不公平感の問題を解消するために、例えば公立大学では授業料の地域格差を設けたり、または定員の地域枠を設けたりする事も検討しても良いのではないだろうか。

処方箋㉓ 児童手当（ベーシックインカム）の拡充

ある国政政党が一時期ベーシックインカムを推奨していたが、この考えは傾聴に値するのではないだろうか。この国政政党が考えているベーシックインカムは、成人に対しての支給の様だが、ここでは子供を持つ親に対しての支給としてはどうかとの提案である。子育てにお金が掛かるので、その費用を国が補填する考えであるが、そうする事で将来の養育費の不安が減り、子供を授かる事を躊躇する人が確実に減るであろう。

近年、児童手当（子ども手当）が支給される様になっているが、その支給額はまだまだ少ない。中学生では1万円で、しかも親の所得制限がある。金持ちに支給するのはどうなのかな（?）と言う人もいるだろうが、それは所得税の徴収時に調整すれば良い事であって、支給時に区別する方が手間である。また、現行の仕組みは中学生までとなっているが、それを高校まで延長する事も検討すべきである。

支給金額は現行の1万円（幼児は1・5万円）より大幅に上げて、5万円程度とし、出産後半年ないしは1年程度は割増として10万円程度を支給する。そして支給年齢は18歳の高校卒業まで5万円を支給する。1万円（幼児は1・5万円）の支給額は、家計の足しにはなるが、子供を設ける事を躊躇する意識を変える程の足しにはならない。これが実現できた場合、私立高校の授業料の補填を少なくしても問題はないだろう。5万円では大都市圏の私立高校の授業料を全額は賄えないが、十分な足しにはなるはずである。

余談だが、子供に対する医療費の無料化には賛成しない。何故なら、無料にする事で安易に子供を医者に連れていく事になるからである。減額はOKだが、無償は止めた方が良い。個人的な意見ではあるが、本来であればちょっとした病気は自己免疫力で治すべきであり、そうする事で強い体を作れる。安易に医者に連れていき、安易に薬をもらって子供に飲ませる事で、子供は免疫力のない人間になってしまうとの危惧を感じている。勿論、体の弱い子供や外科的な治療が必要な場合には医者に頼る必要があるが、ちょっとした熱が出た程度で医者に行くのは如何なものかなと考える。

処方箋㉔ 幼児保育の改革

次の㉔～㉖はほぼセットなのだが、先ずは幼児保育に関して個別に考えたい。幼児保育に関しては、金銭面での補填は既に多くの自治体で行っており、また先に述べたベーシックインカムと併せる事で凡そ解決できる。それでここでは金銭面以外の問題点について考えていきたい。

最近、保育施設での乳幼児虐待の話をよく聞くが、幼い子供を持つ親に取ってはよそ事ではない。何故この様な事件が起こるのか、その本質的な問題点（原因・理由）を掘り下げる必要がある。この分野に関しては素人ではあるが、コンサルタントとして仮説を立てて、話を進めたい。検討のポイントは、子供を預ける親から見て、安心できる幼児保育のあり方に関しての問題点とその解決策を考えていきたい。

国が定める現在の保育士の配置基準は、

・乳児保育では、０歳児であれば子供３人につき１人の保育士を配置
・１～２歳児であれば子供６人につき１人の保育士を配置
・幼児保育では子供20～30人につき、必要な保育士は１人

となっている。子供１人の面倒を見る事だけでも大変であるのに、この基準は果たして適切なのだろうかという疑問を感じざるを得ない。子供を持った事がある大人であれば分かると思うが、子供にも色々あり、育て易い子供（手がかからない子供）と育て難い子供がいる。育て易い子供が集まっていれば、この比率でも問題ないだろうが、そうでない場合は大変ではないだろうか。また乳幼児の面倒を見る大人も同じ人間であり、精神的に上がり下がりがある。精神的に安定している時であれば、この基準でも対応できそうであるが、

精神的にそれ程良くない状況下で沢山の乳幼児を見るのは時には大変である。

昔、保育士を辞めたという女性と話した事があった。保育士を辞めた理由を聞いた所、その女性曰く「このまま保育士を続けると、子供が嫌いになりそうだった…」と。子供達の自由奔放さ、我儘に翻弄され、精神的に追い詰められ、どうもこの辺りの配慮が必要な様である。それで、これについての詳細な処方箋を二つ挙げたい。

Ⓒ乳幼児と保育士の比率の改善
Ⓓ高齢者の保育士（または保育補助）の配置

Ⓒ乳幼児と保育士の比率の改善

これは多くの人が指摘している解決策ではあるが、これが、いの一番に挙げるべき解決策である。比率の面で、やはり保育士の負担が大きいと考えるのが普通であろう。これについてはこれ以上の議論は必要なかろう。そのためには待遇面での改善も必須である。

Ⓓ高齢の保育士（または保育補助）の配置

20歳代や30歳代は、年齢を重ねた人間から見ると、まだまだ子供である。人間的に未熟な人間が、沢山の乳幼児の面倒を見る事が負担になっても不思議ではない。そこで保育士として高齢者も積極的に含める。勿論、経験のある高齢者と言っても、特に体力面で子育てでは負担である。そこで、高齢者を乳幼児の面倒を見る事を主体とするのではなく、20歳代や30歳代の若い保育士の精神的な支えになってもらう立場を中心に、乳幼児も見てもらうといった役割を担ってもらう。乳幼児の保育は肉体的にも大変だが、精神的な負担の方が大きいはずである。その精神的な負担に対する心の支えとして、高齢者にも参加してもらう事で、大きな改善になるのではないだろうか。ここで指摘した保育士の比率の改善をする際に、不足すると思われる保育士を高齢者から募る事で、解決できるのではないだろうか。

また場合によっては高齢者施設と保育所を一緒にする場合も考えられる。流石に乳児の場合は安全面で問題があるかもしれないが、会話できる幼児だとお互いにメリットがある。実際、一部の地域でこの取り組みを行っている所もある様だ。

処方箋㉕ 学童保育の改革

学童保育の問題は、大変難しい課題である。その理由は、学童保育に求める要望が親によってはまちまちであり、子育てに対する理念・哲学の違いが難しさを増している。学童保育は幼児保育と同じ様に、共働きまたは一人親にとっての子供の預かり場所という役割としての要望以外に、幼児教育とは違った学業やスポーツまたは文化的な活動についての支援に関する要望もあるからだろう。

整理すると、公設の学童保育の問題点は、主に次の3点であろう。

㋐開所時間が短い
㋑勉強する習慣が付きにくい（宿題をしない）
㋒スポーツや教育&文化活動の不足

㋐開所時間が短い

現在の公設の学童保育では、18時前後までの預かりが一般的であるが、大都会、特に東京近辺では18時までに帰宅する事は難しい人も沢山いる。そのため通勤時間が長い親に取っては18時の終了時間はちょっと早すぎる。また週5日制が普及した事もあり、週末に預けられない所も多くある。幸い、土曜日は開所している所も多いが、日曜日に仕事をしている親に取っては不都合な仕組みとなっている。

㋑勉強する習慣が付きにくい（宿題をしない）

殆どの親は子供の学力を気にしており、ちゃんと勉強しているかどうか心配している。それで、事あるごとに〝勉強しろ〟って言っているのではないだろうか。勉強をそれ程しなくても、少なくとも宿題はキチンとやってほしいと願っている。学童保育では、宿題についてはちゃんと行う様に指導はしているが、強制はできないので、宿題をせずに帰宅する子供も多少はいるだろう。またひどいケースとして、他の子供の勉強の邪魔をする子供もいるだろう。

しかしここで考えなければならない事は、勉強を習慣付ける事は、誰が責任を持って行うべきなのかという事である。ここに子育てに対する理念や哲学の違いが出てくるのだが、勉強を習慣付ける責任は親なのか、それとも学校なのか、そして学童保育なのか…。これはどちらか一方のみの責任ではなく、主は親の責任であり、従として学校にも責任の一端を担ってもらう。学校に頼るのではなく、親が主体的に責任を持ちながら、学校と協力し合う形が良いのではないだろうか。そこに、勉強を習慣付ける責任の一端を学童保育側にも負わせる事が適切かどうかを考えなければならない。

そしてもっと大事な事（理念・哲学）として、小学生（特に小学生の低学年）に取って勉強はどれ程大事な事なのか、または勉強以外に大事な事はないのだろうか…などの考えを直す事も大事である。毎日の様に子供を勉強塾も含めた何等かの習い事に行かせる親もいれば、子供は自然に触れ伸び伸びと育てる事が大事と考え、塾などには殆ど行かせない親もおり、考え方は様々である。

また、教育は学校のみで行う事なのだろうか。人数は少ないが、学校で習う事を家庭内で教育している親もいる。学校は物事を体系的に教える事に適していて、学校で習う事の一部を補完する形で家庭で教えても良いのではないだろうか。例えば歴史や社会の仕組みは家庭でも教えられるし、文化も家庭で教えられる。そして、算数や国語も家庭で教える事は可能であろう。そうであれば、公設の学童保育で行える事は必要最低限の事であり、宿題をする事を促す程度までであって、勉強を習慣付ける事は必要なのだろうか。

余談だが、学習塾の先生に次の事を言われた事がある。「算数（数学）などは塾で学力を上げる事はできるが、国語は家庭内の環境に依存するので、塾で学力を上げる事はあまりできない」。要するに国語の学力は、家庭内での会話の量と質に依存する様である。

㋒スポーツや教育&文化活動の不足

小学校高学年になってくると、学童保育は退屈な場所になってくるとも云われている。確かに狭い空間で長い時間過ごすのは窮屈だし、またゲームもし飽きているだろう。それで一部の学童保育は小学生4年生までとの制限を設けている所もある。その理由の一つが学童保育では大きくなった子供のエネルギーの発散場所として不十分である事と、もう一つは一人でも自宅で過ごせると社会が考えているからだろう。

因みにアメリカでは、小学生レベルの子供は保護者の監視下に置く必要があるという法律がある。国によっては小学生高学年といえども、まだまだ保護者の監視下に置くべきと考えている事を知っておく必要がある。

これらの問題点を考慮した上で、公設の学童保育のあり方として、次の詳細な処方箋を考えてみたい。私設の学童保育であれば様々な事をできるが、そこはその費用を出せる一部の親子が活用できる所である。そのため、公設の学童保育では必要最低限のサービスレベルに限定せざるを得ないであろう。

Ⓔ学童保育の終了時間の延長
Ⓕ勉強する機会の醸成
Ⓖ塾や習い事との連携
Ⓗスポーツや文化活動の支援

Ⓔ学童保育の終了時間の延長

一つ目の解決策は至って単純で、最低でも19時まで、地域によっては20時に終了する様にする。そして同時に指導員に対する待遇改善も必要であろう。また、18時以降も対応する保育士などの指導員に対して、残業手当の様な追加の手当を支払う事も必要であろう。但し、子供はできれば20時、遅くとも21時までには寝させた方が良いとも云われているので、可能であれば19時までには親に迎えに来てもらいたいモノである。

Ⓕ勉強する機会の醸成

勉強できる場所や机などの設備を充実させる事は当然だが、学童保育は勉強をさせる所ではない。但し、小学生レベルの勉強を教えられる人が指導員としていた方が良く、学童が勉強を教えてほしいと願えば教えるべきであろう。

しかし本来は、小学校が勉強を教える所である。例えば放課後の1時間程を任意の自習の時間として確保し、その時間内で宿題や予習・復習を行わせても良いのではないだろうか。

Ⓖ塾や習い事との連携

塾や習い事に行く場合、学童保育から出入りできる様にする事は大変重要であろう。日本はＤＸ化が遅れているが、塾や習い事と学童保育がデータで連携を取り合う事も、将来は実現してほしいモノである。

Ⓗスポーツや文化活動の支援

公設の学童保育ではスポーツや文化的な活動を行う必要はないが、学校の設備を使える範囲内で、子供達が遊びの延長で自由に使える様にしても良いのではないだろうか。体育館の使用が可能になれば、幾つかの室内競技ができる。例えばバスケットボールはボールさえあれば簡単にできるし、卓球は体育館でなくても、空いている教室があれば卓球台を複数台設置できる。またバドミントンはネットを設置しなくても楽しむ事はできる。それから運動場が使える様であれば、サッカーもボール一つあれば楽しめる。これらをスポーツクラブの様に有償で指導者を付けて行うのではなく、遊びの延長で行っても良いのではないだろうか。そしてその際指導員を置く代わりに、安全面を見守る程度の監視役を配置する程度で十分ではないだろうか。

処方箋㉖ 産休中の収入保障と出産後の社会復帰（働き方改革）の支援・改革

今の日本の社会では、大企業であれば産休や育児休暇も取り易いが、中小企業やサービス業では産休や育児休暇を取る事がまだまだ難しく、子供を持つ事の障害の一つになっている。労働基準法で、産休中や産休直後の従業員を解雇する事を禁じられているが、中小規模の企業では会社を辞める事をお願いされる事もあるだろう。そのため、出産前に仕方なく退職する女性も少なくない。企業側からすれば、産休時の人員の穴埋めを考える必要があり、場合によっては臨時に人員を増やす必要がある。その場合、産休から戻ってきた時に、その臨時に雇った人を辞めさせる事になる。これは企業としては好ましい事ではなく、中小規模の企業側の目線に立つと、〝産休〟という制度を実現する事は簡単ではない。それで出産前に会社を辞めた場合、再就職するまでの間は収入がない事になる。それでこれについても何等かの考慮が必要であろう。

それから育児休暇を取れる様な会社であっても、産休を終えた後の社会復帰の際の労働環境は柔軟性が必要である。子供の事を考えれば、労働時間は短くして、できるだけ長い時間、乳幼児の面倒を見る方が良い。

これらの問題に対する詳細な処方箋は単純で、次の二つについて考えて見たい。

Ⓘ出産前に仕事を辞める人への収入保障
Ⓙ社会復帰後の時短労働の許容

Ⓘ出産前に仕事を辞める人への収入保障

産休が取れる企業に勤めている場合は健康保険などから出産手当が支給されるので良いが、仕事を辞める人も少なくない。その様な仕事を辞める人にも一定額を支給する事で、収入面で安心して出産に向かえる様にする。

Ⓙ社会復帰後の時短労働の許容

これからの企業は時短労働を許容すべきであり、従業員を大事にする考え方に変えていく必要がある。それに向けて地方自治体や商工会議所などがリーダーシップを取って、啓蒙活動を行う必要があろう。そして一番大事な事として、時短労働をしている期間の人員の穴埋めを、地方自治体が主導して支援する事であろう。そして社会人の教育も含めて、地域社会で人材の底上げと流動化を推進する事が大事である。またこの様な場合の臨時従業員の費用を地方自治体で持つ事も考えるべきであろう。

処方箋㉗ 経済を良くする

そもそも経済が安定していて、収入がバブル崩壊前の様に十分あれば、ここまで述べた問題は存在するだろうか？　因みに１９８０年代前半の合計特殊出生率は既に２人を割っていて、１・７〜１・８人となっていた。だとするとこの仮説の説得力はあまりないが、今よりは良くなるのではないだろうか。もし１億総中流と云われた時代の収入を確保でき、夫である男性の収入が十分あれば、無理をしてでも働こうとする女性が多少は減るのではないだろうか。その場合、１日の労働時間は４時間または６時間程度で済ませたいと願うだろう。但し、離婚率がバブル期よりは高い状況は変わらないと思われ、産休時の収入減や学童保育の必要性はバブル期よりは高いと想像する。しかし、低収入から結婚を諦める人は確実に減り、その分の効果は確実に上がるだろうし、今の共働きの多さや独身の多さは、経済の劣化が大きく原因している事には間違いはないだろう。そして夫の収入がよければ、無理して働きたくはないと考えている女性は少なくないだろう。

そうであれば、経済を良くする事が少子化対策として一番の特効薬であり、経済を良くするための政策を政治が行うべきである。そして劣化した経営者が変わり、経済を向上する事にある。そのためにも我々日本人が、我々の長所でもあり欠点でもある所を見直す事が大事であり、その一部を「給料（収入）と物価が上がらない理由・原因は〝自立〟できていない事にある」の章で記載した。

昔から、「一人口は食えぬが二人口は食える」という諺がある。収入が低くても、一人よりは二人の方が暮らし易くなるという事ではあるが、ここに子供が増えると流石に無理が出てくる。少子化の原因として一番の問題は、収入が低い事であり、将来への不安である。そのため国家や企業経済を良くする事を最優先すべきであり、小手先の少子化対策ではない。

処方箋㉘ 家庭の良さと子育ての楽しさの醸成

少子化の問題の原因として、一番重要と言えるのが、家庭・家族に対する考え方や思い、または家族観だろう。あくまで個人的な印象ではあるが、日本人は家族に対する考え方が外国とはかなり違う。家族が良いモノである、または家族を大事にするという意識が低い様に感じている。例えばクリスマスだが、欧米諸国では家族と一緒に過ごすのが定番である。そこには家族を大事に思い、家族内の愛情を確かめ合うといった雰囲気がある。一方日本ではお盆や年末年始に実家に帰る事はしているが、その意味合いは親孝行であり、休暇を過ごす場所といった意味合いの方が強く、〝家族を大事にする〟という考えに根ざしていない様に感じている。また若者の多くは正月であっても友達と会って遊んでいる事が多いのではないだろうか。そして家族と一緒に過ごす事が大事だという思いは低い。

自分が子供の頃、ＴＶで家庭の良さや温かさを表現したドラマが少なくなかったが、最近はその様なドラマがあるのだろうか。最近は、女性の社会進出や活躍にフォーカスを当てたドラマが多く、また社会や企業の様々な組織内での出来事を描写したドラマが大変多いのではないだろうか。

ある独身の女性作家が独身女性を主体にした本やドラマの脚本を沢山作成していた。この女性作家は女性が独身であり続ける事による社会的な生き難さを解放するために、独身女性をテーマにした沢山の本を執筆し、多くの女性に勇気を与えた事については敬意を表する。しかし、そのために「独身でも良いんだ」と思ってしまった女性も少なくないのではないかと勝手に想像している。その様な女性の多くは結婚に一度は憧れていたと思うが、結婚または恋愛に対する考え方・期待値が高いのか、結果的に独身を続けてしまったのではないかと想像している。それでその女性作家には、輝いている結婚した女性をテーマにした本の執筆やドラマを脚本してほしいと願っている。

家庭を持つ事が良い事だと思わなければ、そして子供を持つ事が楽しい事だと思わなければ、結婚して子供を持つ事はしないだろう。経済的な負担や社会復帰の難しさ、または極小住宅の問題などがあっても、家庭を持ち子供を持つ事の良さや楽しさを感じていたら、結婚して子供を持つ事を考えるであろう。家庭を持ち子供を持つ事の良さや楽しさを共有し、実感できる社会にならなければ、少子化問題は解決しないのではないだろうか。もしかしたら、この問題は「㉗経済を良くする」以上に重要なのかもしれない。

現代を生きている人の中で、一体何割の人の親夫婦の仲が良く、家族が幸せと思える家庭で育っただろうか。正直、少ないと思う。多くの家庭内で争いが頻発し、その家庭の子供はその争いを見ながら育っている。そして母親が子供の前で夫を誹謗中傷し、父親も子供の前で妻に暴力を振るっているのではないだろうか。そして多くの家庭では子供の高等教育の学費を捻出するのに苦労していて、その事を子供も知っている。その様な家庭に育った子供は、大人になってから積極的に結婚して家庭を持ち、子供を持つ事を選択するだろうか。一部の人は「自分は温かい家庭を持つのだ」と考える人もいるだろうが、多くの若者は結婚&子育てに躊躇しているのではないだろうか。

この問題についての詳細な方策は敢えて書かない。その理由はこの問題を解決するために為すべき事があまりにも沢山あり、それらが積み上がった結果が現状にある。そして自分が見えている事は解決策のごく一部であり、個人的な理念や哲学と経験に基づく考えであるため、反論も沢山あるだろう。敢えて一つだけ詳細な処方箋を書くとしたら、それはTVドラマなどで家族の良さや子供を持つ事の楽しさをテーマにした番組を放送する事である。日本人はTVの影響を受け易いので、その効果は絶大であろう。

処方箋㉙ 男性の家事参加

最後に、〝男性の家事参加〟をこの問題点の処方箋として挙げたい。子育ての負担の多くが女性にいく様では、殆どの女性は子供を2人以上欲しいと思わないであろうし、子供は一人で十分と考えても責める事はできない。料理に洗濯と掃除。そして乳幼児の場合は子供の寝付かせやオムツ替えなど、やる事は沢山ある。これらの殆どを女性に任せている男性の一員として、女性には頭が上がらない。

昔は、「男子厨房に入るべからず」と云われていた。元々の意味は全く違う様だが、長年日本では男子は料理などの家事を行うべきではないとの教えとして使われている。最近は料理ができる男性が増えてきてはいるが、男の料理はお金が掛かる。また掃除や洗濯が好きな男性も多少はいるが、ごく一部であろう。これについてはこのままでは良くないのだろうが、何故こうなってしまっているのかを考え、解決に向けた次の二つの詳細な処方箋を考えたい。

Ⓚ 新生児の親に対しての研修会を実施

Ⓛ 子供に家事などの手伝いをさせる

Ⓚ新生児の親に対しての研修会を実施

前出の子供に対するベーシックインカムを支給する条件として、新生児の親に対しての研修会を実施する。研修内容には、子供の育て方以外に産後直後の女性の体力回復に時間がかかる事や、男性の女性に対する思いやりの必要性なども教える。そして、結婚後、そして子供ができてからは、自分の時間はある程度配偶者や子供のために使う事の大事さを男性に教える。

Ⓛ子供に家事などの手伝いをさせる

そもそも前出のⓀは、本来親が子供に教育すべき事である。何十年もの間、男の家事参加の少なさに対して女性から不平が出ているにも関わらず、その女性は自分の子供に家事を手伝わせていない。塾などの習い事、または勉強をする事を優先させてきたため、男の子だけでなく、女の子も料理などの家事が全くできない子供が大変多い。これは本来、親が教えるべきであり、社会が肩代わりする事ではない。必要最低限の家事のノウハウを教え、感謝する事を教えるのが家庭の責任であろう。そして日本の文化を伝えるのも親の責任である。前出のⓀは、現状できていない事への対応策であり、家庭内でできる様になれば、社会が行う必要がない事であり、将来はそうなる事を願いたい。そして日本人として本当はどうありたいのか、またはどうあるべきなのかを各家庭で考えてほしい。決して欧米諸国の価値観のモノマネだけはしないでほしい。

第5章　見直しが必要なＳＤＧｓ

ここ最近ＴＶや新聞などで、〝ＳＤＧｓ〟という言葉や文字を聞かないまたは見ない日は殆どない。人類、または地球の将来のために、ＳＤＧｓを推進すべきといった論調が広がり、それに対する同調圧力が蔓延している。ＳＤＧｓが表面的に訴えている事は一見正しい様に見える。しかし詳細を詰めてみると、果たしてそれは正しいのだろうか？とも感じてしまう人は少なくないだろう。

ＳＤＧｓには17の項目があって、概念としては凡そ共感できる。例えば、「1 貧困をなくそう」や「2 飢餓をゼロに」、「3 すべての人に健康と福祉を」、そして「4 質の高い教育をみんなに」などに、異論を挟む人はいないだろう。しかしこれらの17の項目の中には、先進国に住む人々にはあまり関係はないモノや、意味不明のモノも含まれている。またこれら17項目の中には具体的な政策や行動がある様には見受けられないモノもあれば、また一部の具体的な方策には甚だ首を傾げたくなる事も見受けられる。

その中で、今世間を賑わしているSDGsは、主に次の項目に関連する事案であろう。

・7 エネルギーをみんなにそしてクリーンに
・13 気候変動に具体的な対策を

この二つをかけ合わせた対応策として、〝地球温暖化〟に対する対処方法としての〝脱炭素〟が昨今叫ばれている。近年頻繁に発生している干ばつや豪雨といった様々な気候変動の要因が、我々人間の活動によるCO_2の大量排出であるとの考え方であろう。しかし、この考えには賛否両論があり、世界全体がこれに共感しているとは言い難い。そして、これについては同調圧力が大変強く、残念ながら反対意見は共有されず、抹殺されているに等しい状況である。

それでこれから、このSDGsについて以下の流れで考えていきたい。

1 温暖化と異常気象の原因は二酸化炭素（CO_2）が増えている事だけなのだろうか？
2 植物には二酸化炭素が必要であるが…
3 それでも自然界の二酸化炭素の濃度は増えているが、その原因は？
4 各再生可能エネルギーの特徴と問題点

5　再生エネルギーと脱炭素についての結論：処方箋のまとめ

1　温暖化と異常気象の原因は二酸化炭素（CO_2）が増えている事だけなのだろうか？

温暖化と異常気象の原因は二酸化炭素が増えている事だけなのだろうか？　結論を先に言うと、〝誰も分からない〟であろう。

確かにある一定の環境下、例えば閉鎖された密閉空間で二酸化炭素が増えると、温度が上がるという事は科学的にも立証されているとの事である。しかし、実験場と自然界とは全く違う事も知っておく必要がある。また一番重要な事として、太陽の活動が地球に影響している事は義務教育レベルでも学んでおり、我々は知っている。

また大規模な火山活動も影響があると云われている。火山灰が大気に浮遊し、太陽の光を遮る事で温度が下がるという説もあれば、火山活動によって温暖化ガスが放出され、それによって温暖化がもたらされるという説もある。それからエルニーニョ現象が気候に大きな影響を与えている事も知られる様になってきているが、エルニーニョが発生する仕組みも正確には把握できていない。地球の振舞いは謎だらけであり、当然太陽の振舞いとそれからの影響も謎だらけである。この様に、太陽や地球の活動による影響の可能性を排除し、二酸化炭素だけを悪者にした温暖化と異常気象を叫ぶのは、バランスが崩れている。

自分が生きている間だけを振り返ったら、確かに気温が上がっている様に思える。自分が子供の頃は根雪があったが、今は道路上の雪は数日でほぼ溶けてしまう。また北極の氷が少なくなり、そして氷河が溶けている事も共有されている。但し、現代社会に生きている我々が比較できる事は、自分自身の人生の長さであり、強いて言えば、信頼できる科学的データを遡れる過去までであり、地球または宇宙の歴史と比べると、大変短い期間である。大昔には氷河期があり、また温暖化した時代もあったとされる。それなのに、我々人間が生きている短い期間の出来事だけを取り上げ、温暖化または寒冷化していると言っている事には、正直違和感しかない。そして自分が子供の頃は寒冷化しているとも言われていた。

また温暖化の実例として宣伝されている事例の中にも嘘が沢山ある。自動車で走れる海岸線として有名な能登半島にある千里浜なぎさドライブウェイは、海岸線が浸食され砂浜が狭くなり、自動車で走れない時もある様になった。温暖化を訴えている人は、砂浜が浸食されている原因を温暖化だと言っているが、実際この原因は、石川県南部を流れる手取川にダムを建設した事が原因である。ダムによって土砂が下流に流れなくなり、千里浜への砂の供給が減った事が、砂浜が狭くなった原因であり、温暖化とは何の関係もない。地元の人はこの事実を知っているが、脱炭素を訴えている人は海岸線が浸食されている事だけを取り上げ、地球温暖化と結びつけようとしている。

2　植物には二酸化炭素が必要であるが…

〝二酸化炭素飢餓〟という言葉を聞いた事があるだろうか？　これは農業従事者、特にハウス栽培をしている農家と、これに関係している業者、例えばハウスを作っているメーカや業者などしか使わない言葉である。ハウス内で植物を栽培すると、植物が二酸化炭素を吸収する事で二酸化炭素の濃度が減少し、植物の育成が悪くなる事がある。この二酸化炭素の濃度が低下する状態を二酸化炭素飢餓という。この対策として、ワザワザ二酸化炭素を製造する機器をハウス内に設置し、二酸化炭素を供給する事で植物の育成を促進している。そして二酸化炭素を平常より少し多めに供給する事で、植物の成長が早まり収量が増えるため、自然環境より少し多めの二酸化炭素を維持している。脱炭素と言っている脇で、ハウス栽培ではワザワザ二酸化炭素を生成し、植物のために供給しているのである。

これが意味する事は、自然界より少し多めの二酸化炭素を植物に与えると、より成長するという事である。少なくともハウス栽培では実証されているので、自然界であっても同じ結果が出ると思われる。実際、気象庁のＨＰで二酸化炭素濃度の過去データを見る事ができるのだが、夏の濃度は冬の濃度より低くなっている。但し、二酸化炭素の吸収量は若い植物と古い植物とはかなり違うとの事で、若い植物の方が断然吸収量が多い。そうであれば、森林では古い木は伐採して有効活用し、森林を適時若返らせる事が大事な様である。また地上と同じ様な事が海水にでも起こる。海水の二酸化炭素の濃度が増えれば植物プランクトンが増え、その結果動物プランクトンが増え、魚も増えるという良い食物連鎖が発生するという。

3　それでも自然界の二酸化炭素の濃度は増えているが、その原因は？

昔、と言っても昭和時代の空気中の二酸化炭素の濃度は３６０ｐｐｍ辺りと云われていたが、ここ10〜20年程の間に急速に二酸化炭素の濃度が増え、現在では４２０ｐｐｍを超えているとの事である（気象庁のＨＰから）。そして工業化以前の１７５０年頃は、２８０ｐｐｍ辺りだったとの事である。これが事実だとしたら、工業化が進んだ事で、徐々に二酸化炭素の濃度が増えていったと考えられる。そして昭和の頃は３６０ｐｐｍ辺りで安定していたが、1990年を過ぎた辺りから急激に増えている様である。

　実は1990年以降、森林伐採が進んでいる。アマゾンでの伐採が進み、一時期社会問題として取り上げられていた事を覚えている人もいるだろう。そしてカリマンタン島（ボルネオ島）の森林伐採も、オランウータンの保護も絡めて問題になっていた。実際、〝世界森林資源評価（FRA）2020〟によると、1990年から2000年に掛けて、平均で毎年784万haの森林が減少し、2000年から2010年に掛けては毎年517万ha、そして2010年代は毎年474万haの森林面積が減少している。森林が大きく減少している地域は、ブラジルを代表とする南米、アフリカ、そしてインドネシア等の東南アジアである。20年程前には、森林伐採の問題を取り上げた報道が沢山あった様に記憶しているが、最近その様な話を殆ど聞かなくなってきている。何故だろうか？　因みに、北海道の面積は8万3450㎢で、ヘクタール換算では834万haであり、2000年代は北海道に匹敵する面積の森林が、毎年消滅していた事になる。

　これら森林の面積の減少と、二酸化炭素の増加が反比例している様に見える事から推測すると、二酸化炭素が増加している原因は、森林の伐採によるモノだと思えてくる。植物に多めの二酸化炭素を与える事でより多くの二酸化炭素を吸収してくれるが、それ以上の森林の減少が起こっているのではないだろうか？

4　各再生可能エネルギーの特徴と問題点

では本題だが、仮に温暖化の原因が二酸化炭素とした場合の現在の対応は適切なのだろうか？　一見良さそうな事を行っている様にも見えるが、問題があるケースが顕在している。それで、各再生可能エネルギーの特徴と問題点について、深掘りしていきたい。

二酸化炭素を削減するためには、大きく分けて二つの方法がある。一つは二酸化炭素の排出を減らす事であり、もう一つは二酸化炭素を吸収する森林などの植物を増やす事であり、至って単純である。しかし現在の対応は、二酸化炭素を吸収する森林を増やすのではなく、二酸化炭素を排出するモノを減らす方向のみで動いている。そしてそのために、森林などの自然を破壊しているのだが、これは愚策としか言いようがない。

主な再生可能エネルギーは以下のモノがあるが、この後それぞれについて評価していきたい。それぞれの特徴である〝メリット〟と〝デメリット〟、そして運用上での問題点を記載し、その解決策を〝処方箋〟という形ではなく、〝対策〟という形であるべき姿を考えていきたい。そして最後にまとめとして処方箋を記載したい。

Ⓐ太陽光発電（ソーラーパネル）
Ⓑ風力発電
Ⓒ水力発電

Ⓐ太陽光発電（ソーラーパネル）

太陽光発電（ソーラーパネル）にはメリットはあるが、デメリットがあまりにも沢山ある。そして考慮すべき重大な問題点も存在する。それでそれらを順番に整理していきたい。

メリット：
- 太陽という最も強力な自然エネルギーを元にしており、発電の際には二酸化炭素を排出しない。
- ポータブルな電源としても活用でき、災害などの非常時においても、大変使い勝手の良い仕組みである。

デメリット：
- 天候に左右されるため、安定した電力の供給ができない。特に夜間は発電できない。
- 太陽光発電の寿命は決して長くなく（20年前後と云われている）、そして有害物質を含んでいるためリサイクル時に注意が必要である。

・発電コストは決して安くはない。(再エネ賦課金が、電力料金を引き上げている)

運用上での問題点：
・森林を伐採して太陽光発電を設置する事が多く、二酸化炭素を吸収する森林を減らしているだけでなく、土砂崩れなどの災害を発生させるなどの自然破壊を誘発している。
・農地に太陽光発電を設置している場合も多く、自給率が低い日本で農地を転用している事自体に問題がある。
・水の災害などでソーラーパネルが水に浸かった状態でもソーラーパネルは発電し続けるため、感電などを起こす可能性がある。
・安全保障の観点で重要インフラは自給すべきであるが、現在国内で使用されている太陽光発電の殆どは外国メーカ品である。
・ソーラーパネルには有害物質が含まれているが、それを廃棄する際には産業廃棄物として取り扱わなければならないが、中小規模の業者が撤去する場合に不法投棄される可能性が高い。

対策：
・農地や森林を転用しての太陽光発電の設置は原則禁止とする。
・農地に太陽光発電を設置する場合、農業と共存する形での太陽光発電の設置(ソーラーシェアリング〔営農型太陽光発電施設〕）のみ原則可能とする。

・家庭用での設置は推奨せず、既存のまたは新設する大規模建造物の上に太陽光発電を設置する方向で推進する。例えば、工場やビル、または駅の屋根の上など、比較的広い面積を確保できる日当たりの良い建物の屋根に設置する。また災害時の避難場所となる学校の屋上は、災害時の緊急電源としても活用できるため、推奨すべきである。

・天候に左右され、夜間は発電できないため、安定供給としての電力源（ベース電源）として考慮してはならない。

Ⓑ風力発電

風力発電も太陽光発電と似た所があり、メリットもあるが、デメリットも多い。そして考慮すべき重大な問題点も存在する。

メリット：

・〝風力〟という自然エネルギーを元にしており、発電の際には二酸化炭素を排出しない。

デメリット：

・天候に左右されるため、安定した電力の供給ができない。

・強風や雷などの自然災害に弱く、日本の気候風土では損傷する事が多々ある。

運用上での問題点：

・風力発電の先進国であるヨーロッパでは、偏西風による安定した風力を得られる事から風力発電の発電効率が高いが、日本では安定した風力を得られる所が少ないため、発電効率があまり良くない。

・山林や農地に設置するケースが多く、その際に二酸化炭素を吸収している森林を伐採し、自然を破壊している。

・風力発電は低周波を発生するため、人体に悪影響を及ぼす。ヨーロッパでは洋上発電が多く、居住地から遠いために低周波による弊害が少ないが、日本では風力が安定している遠浅の海域が少ないために居住地に近い陸上での設置が多く、低周波の問題が存在している。

・安全保障の観点で、重要インフラは自給すべきであるが、現在国内で使用されている風力発電の多くは、外国メーカ品である。

・最近発覚した問題として、海上に風力発電を設置するとレーダーに悪影響を及ぼし、防衛や気象の観測に問題が発生する。

対策：

・日本の国土では風力発電を設置できる地域は少なく、限定した地域のみで風力を活用した発電を実施する。
・安定供給としての電力源（ベース電源）としてはならない。
残念ながら、日本の領土には風力発電の設置に適した所が少ない様である。設置の前提条件をおさらいすると…、
・ある程度、大規模な施設となるため、まとまった広さがある土地または海上が必要
・山林での設置の場合、幅の広い道を設置できる場所（建設時のみならず、定期的なメンテナンス時に、大型重機やトラックが入る必要があるため）
・低周波や騒音からの被害を避けるため、民家から十分離れた所に設置する必要がある
・洋上での発電を検討する際、レーダーへの影響を十二分に考慮した上で設置場所を限定する
これらの設置条件を考慮すると、日本での風力発電の設置可能場所はかなり少ないと思われる。特に最後の条件は国防上の問題でもあるため、これを害する設置は許されてはならない。

©水力発電

日本の水力発電は導入ポテンシャルで世界5位であり、眠れる水力大国と云われている。そしてこれは一時期の日本の高度経済成長を担っていた電力であるが、近年は開発があまり進んでいない。しかし脱炭素を目的とした場合には、一番の優等生であろう。

メリット：

・発電コストが低く、安定した電力を供給できるシステムである。
・発電の際には二酸化炭素を排出しない。
・エネルギーの変換効率が高い。
・最近は小規模の水力発電が開発されてきており、地域の活性化にも役立っている。

デメリット：

・大型の水力発電の建設費は高く、環境への負荷が少なくない。
・天候の影響は少ないが、長期間雨が降らない場合には、十分な発電ができなくなる場合がある。

運用上での問題点：

・日本の国土の7割以上が山地（山岳地帯）であり、ダムを建設する際には大規模な開発を要し、自然の破壊が伴ってしまう。

・水力発電の原資であるダムは、長期間の使用でダムに砂が体積してしまい、年々問題になってきている。結果、下流への土砂の流出が減ってしまうため、海岸線の浸食などの被害を誘発してしまっている。

対策：

・中小規模を中心とした水力発電を積極的に推進し、これからの再生可能エネルギーの中心とする。

・土砂が溜まってしまうダムを建設する際には、何時でも排砂できる仕組みを取り入れる。

日本での水力発電の設置は環境への影響が大きく、また大規模な発電はかなり開発し尽された状況にある。そのため、今後は大規模の水力発電が作られる事は少ないと思われる。しかし、中小規模の水力発電に関してはまだまだポテンシャルが高く、今後は推し進めるべきであろう。ある調査では、現行の水力発電量の約800億ｋＷｈに対して、約200億ｋＷｈ程の開発ポテンシャルがあるとの試算もある様だ。但し、技術的にはまだまだ克服すべき課題がある様で、特に小規模の水力発電の建設コストを下げていくための技術の革新が求められているとの事である。

5　再生エネルギーと脱炭素についての結論：処方箋のまとめ

結論として、水力を除いた再生可能エネルギーをベース電源として頼ってはいけない。その主な理由は次の通りである。

・大規模な開発をする場合は自然破壊を伴ってしまうため、中小規模の発電に限定されてしまう：水力発電、太陽光発電、風力発電、地熱発電、バイオマス発電（原材料の調達に関して）

・天候の影響を受けるため、安定した電力の供給ができない：太陽光発電、風力発電

・太陽光発電固有の問題：耐用年数は短く、破損し易い。そしてソーラーパネルには有害物質を多く含み、小規模業者による発電が多いため、廃棄時に環境破壊を招く可能性が高い。

・風力発電固有の問題：洋上に設置する場合には、防衛上の問題が発生する。そして低周波が人に悪影響を及ぼしている。そして落雷や強風などによる破損が発生し易い。

この様に、日本では再生エネルギーを主要電力として賄うのには解決すべき問題が多すぎる。その一番大きな理由は、自然を破壊し、現存する山林や農地を転用して発電システムを作っている事にある。これは、ＳＤＧｓの「⑮陸の豊かさも守ろう」に明らかに反しており、そして広義に捉えると「⑪住み続けられるまちづくりを」にも反している。特に太陽光発電の山林での設置は二次災害を発生する懸念が大変強く、山林への設置は禁止すべきであろう。水力発電と地熱発電は山林が主な設置場所となり、どうしても自然破壊を行ってしまうが、これらについては自然破壊を最小限に抑えながら、中小規模の発電として今後も検討すべきであろう。

また太陽光発電に使われるソーラーパネルは、その廃棄の際に問題がある。有害物質を含んでいるため、廃棄の際にはしっかりとした業者によって廃棄を実施されなくてはならない。しかし、ソーラーパネルは中小企業や個人宅に沢山設置されているため、不法投棄される危険性が大変高い。この事から、太陽光発電はＳＤＧｓの「⑫つくる責任　つかう責任」にも反している。そのため、太陽光発電の一般住宅への設置は推奨せず、そして設置は廃棄時に責任を取れる業者に限定すべきであろう。

結論を要約すると、以下が解決策（処方箋）である。

処方箋㉚ 森林を増やす事が一番の処方箋であり、
古い木は二酸化炭素の吸収が悪くなるので、適時森林を更新する

処方箋㉛ 中小規模の水力発電の活用を今後の自然エネルギーの中心とする

処方箋㉜ ＳＤＧｓの14番目の「海の豊かさを守ろう」と
15番目の「陸の豊かさも守ろう」に反する開発はしない

あとがき

本文を書いていたのは、２０２２年の秋から２０２３年初頭の頃なのだが、この「あとがき」を書いている２０２３年の春頃から、社会が大きく変わり始めている。その中には、本書で書いた問題点の一部が良い方向に変わっていくモノがあるが、一方で悪い方向に変わろうとするモノも少なからずある。

因みに、悪いモノの代表は、次の政府の方針であろう。

・〝技能実習〟の廃止を提言し、特定技能2号の適用業種を増加

これは大変大きな問題である。企業から見ると、人材を雇用し難い事は分かるが、賃金の上昇や、低賃金での雇用を前提とした労働を減らす事等、社会の仕組みを変える事で、かなり解決できる。それを行わずして、安易な方向に向かっている事に憤りを感じる。そしてそもそも、外国人を多く受け入れる事で社会が壊れて行ってしまう事が、ヨーロッパ

等で実証されている。やはり、理念や哲学が欠如している人達が考える事項に、大変な憤りを感じる。これによって自国の利益を損なうだけでなく、長い目で見ると、日本に来る外国人の幸せも損なっている可能性が高いのだが、この様な視点がなく、一部の企業化の目先の利益のみを見ているだけなのであろう。大変残念である。

良い変化としては、

・週休3日制
・児童手当の拡充
・賃金の上昇

などがある。

週休3日制は、大変良い事であろう。また、児童手当については、収入制限がなくなる等の良い面もあるが、手当の金額や適用年齢において、まだまだ改善点はある。そして賃金の上昇は、一過性な現象になってはならず、継続的な賃金の上昇が必要である。本文では触れなかったが、日本でストライキを行わなくなってから、賃金の上昇が止まった事も留意する必要がある。

そういった意味で、日本人は問題点や不満に対して、もっと声を上げる必要がある。そして、搾取され、騙されている事に気が付く必要がある。そのためには、自分自身が自立し、理念や哲学を持つ事が重要である事を最後にもう一度述べて、終わりにしたい。

〈著者紹介〉

松本繁治（まつもと しげはる）

1961年石川県生まれ。

ルイジアナ州立大学工学部卒、同大学大学院中退。

日米の製造メーカに勤務後、外資系IT企業や外資系コンサルティング企業にてコンサルタントとして10年以上の活動を行う。一時期、家業である製造メーカで経営を支援。

2009年以降は独立してコンサルティング活動を継続中。

壊れたニッポンを治す為の処方箋２

2023年8月31日　第1刷発行

著　者　松本繁治
発行人　久保田貴幸

発行元　株式会社 幻冬舎メディアコンサルティング
〒151-0051　東京都渋谷区千駄ヶ谷4-9-7
電話　03-5411-6440（編集）

発売元　株式会社 幻冬舎
〒151-0051　東京都渋谷区千駄ヶ谷4-9-7
電話　03-5411-6222（営業）

印刷・製本　中央精版印刷株式会社

検印廃止

Printed in Japan
ISBN 978-4-344-94578-4 C0095
幻冬舎メディアコンサルティングＨＰ
https://www.gentosha-mc.com/